東大の良問10に学ぶ世界史の思考法

相生昌悟
監修　西岡壱誠

星海

はじめに

皆さんは、世界史の勉強に対してどんなイメージを持っていますか?「年号や人名を暗記しないといけなくて大変」「何百年も前の出来事について勉強したところで役に立たない」と思っている方も、中にはいるかもしれません。

しかし、世界史は、狭い特定分野の知識の暗記が問われるようなつまらないものではありませんし、まして役に立たないなどということもありません。むしろ、私たちの「先輩」にあたる歴史上の人々が作り上げてきたユニークなストーリーを学べて、しかも現代にも応用できるところがあるのが世界史です。

そんな世界史の面白さをダイレクトに感じるのに、うってつけの題材があります。それが、東京大学の入試問題です。東大は、そのアドミッション・ポリシー(大学側がどのような学生を求めるかをまとめたもの)において、「知識を詰めこむことよりも、持っている知識を関連づけて解を導く能力の高さを重視します」と述べています。東大は、大量の暗記ではなく、むしろ必要最低限の知識から論理的に考えることを求めているのです。そんな東大が作る問題には、東大の先生方が描く歴史のストーリーや捉え方が詰まっています。つまり、東大の入試問題を通して世界史を学ぶことで、確かな歴史観を養いつつ、必要な知識を自分なりに結びつけていく思考法を身につけることができるのです。

中でも、東大「らしさ」が出ているのが、東大世界史の第1問、通称「大論述」です。600文字程度の論述問題は、多くの受験生にとって超えなければならない高い壁であると同時に、東大の歴史観が詰まった最高の題材でもあります。本書は、この大論述のうち、世界史のほぼ全時代を幅広く学ぶために特に重要だと考えた10問を使って「世界史の思考法」を学んでいくものです。

こうやって聞くと、「いきなり入試問題、それも東大のものを使っても、どうせ分からなくて挫折してしまうよ」と思う方もいるかもしれません。しかし、知識は使い方まで知ってこそ活かせるようになるものです。なんとなくテキストを読むよりも、「この問題に答えるにはどんな知識や思考法が必要だろう？」と考えながら学ぶことで、知識がより実践的なものになります。まして、今回用いる題材は東大の入試問題です。たしかに生易しいものではありませんが、その分じっくり噛みしめながら扱うだけの深みと面白さを備えています。東大の問題は、世界史を初めて学ぶ人にも、世界史の骨格が頭に入っている人にも、それぞれ示唆を与えてくれるはずでしょう。

ここで、東大がある年の入試問題に合わせて示した「出題の意図」を一部引用します。

「解答に際しては、問題文をしっかりと読み、そこに書かれている出題意図をまずは文字通り理解し、与えられた問いについて何が問われているのかを考え、導き出した答えを、指示された場所に、指示通りの様式で記して答案を作成することが求められています。この当たり前とも思えることをしっかりやることが大切と考えます」

東大は、なにも高尚・高度な知識や技術を要求しているわけではありません。むしろ、「問いに正面から答える」という、ごくごく当たり前のことが求められています。「世界史の思考法」も、結局はこうした読解力と素直さに尽きると言ってよいでしょう。東大の問題をじっくり読んで、東大が何を考えてほしいと思っているのかを受け取り、それに沿ってインプット・アウトプットすることを通して、着実に世界史を学んでいきましょう。本書が、「世界史の思考法」を養い、その先に世界史の「頂」を望むようになるための道しるべとしての役割を担えたら幸いです。

自己紹介が遅れましたが、私は相生昌悟と申します。地方の公立高校を卒業したのち、東京大学に進学しました。現在は法学部にて法学・政治学を学ぶ傍ら、出版活動や高校でのコーチング活動をしています。

私が本書を執筆しようと考えたのは、東大世界史を題材とする既存の書籍において、問題文をしっかり読み、そこに秘められた東大の歴史観を理解した上で適切な答えを導くということができていないように感じていたからです。既存の書籍における問題の取り組み方といえば、問題文をとりあえず流し読みだけして、ただ問題に関連する単語を解答に書き並べるというものに過ぎない。だからこそ、東大世界史にきちんと向き合っていると言える書籍を作りたい。そう考えました。

本書の監修でもある株式会社カルペ・ディエムの西岡壱誠氏（以下、日頃の敬意よりあえて「西岡さん」とお呼びします）には、本書の刊行に至るまでの長期間にわたって大変お世話になりました。東大入学以来の構想をこうして書籍の形で実現できたのは、西岡さんが僕の想いを応援し続けてくださったおかげです。西岡さん、最後までやり遂げさせていただきありがとうございました。

また、本書が幸運にも星海社新書として刊行の機会を得ることができたのは、担当編集者の片倉直弥さまのお力添えによります。稚拙な草稿を粘り強くお読みいただき、多くのアドバイスをくださったことで、こうして形にすることができました。

さらに、本書の執筆全体を通しては、私と同じ東大法学部の加藤友樹君をはじめとする友人たちに多くの助力を受けました。問題の読解や解答例の検討にあたって何度も繰り返したあの議論がなければ、本書はあり得ませんでした。本当にありがとう。

本書の構成

本書は、「講義編」「演習編」「章のまとめ（解答例）」の3部構成になっています。

講義編は、世界史を初めて学ぶ人や、久しぶりに学び直す人向けに、最低限必要な知識を解説するパートです。初学者でも読みやすいように、年号や固有名詞などは極力少なくしてあります。すでに世界史を学んだことのある人や、今しっかり学んでいる最中の受験生などは飛ばしてOKです。

演習編は、東大の問題文の精緻な読解による「枠組み」や「思考法」の確定と、そこへの具体的知識等の当てはめ（解説）の2段階からなるパートです。東大が1年に1問だけ出題する大論述を通して「世界史の思考法」を学ぶためには、問題文の精緻な読解が欠かせません。本書は（東大入試を扱った類書には例を見ないほど）相当に力を入れて、このパートを準備しました。

章のまとめ（解答例）は、問題への解答であるのみならず、各章のまとめ・要約にもなっています。ここだけを読んでも、東大の歴史観を大まかにつかめるようになっています。本書では、東大からの問いに正面から答えるべく、より良い解答例の作成に最大限尽力しました。とはいえ、当然ながら、本書の解答例が全て一点の曇りもないとまでは言えません。東大からの問いへの答えになっているか、世界史の「まとめ」として堪えるものになっているか、批判的に検討していただけたら幸いです。

主な参考文献・凡例

各章末で紹介した参考文献の他、本書全体を通して参照した文献は以下のとおりです。なお、歴史の流れの理解に資する箇所や、一般にはあまり有名でない考え方・事例等について紹介する際には、以下に示す凡例に従って教科書の参考箇所を示しています。

木村ほか編『詳説世界史』（山川出版社、2023）↓山川・詳説
羽田ほか『新世界史』（山川出版社、2023）↓山川・新
川島ほか『世界史探究』（東京書籍、2023）↓東京
桃木ほか『新詳 世界史探究』（帝国書院、2023）↓帝国
木畑ほか『世界史探究』（実教出版、2023）↓実教
秋田茂ほか『高等学校 世界史探究』（第一学習社、2023）↓第一
岸本美緒＝鈴木淳編『歴史総合』（山川出版社、2022）↓山川・総合
川島真ほか編『詳解歴史総合』（東京書籍、2022）↓東京・総合
木村靖二ほか編『詳説世界史研究』（山川出版社、2017）
大阪大学歴史教育研究会編『市民のための世界史』（大阪大学出版会、2014）
全国歴史教育研究協議会編『世界史用語集 改訂版』（山川出版社、2018）

目次

第4章 パクス・ブリタニカへの組み込まれと対抗 101

第章 東アジアの伝統的な国際関係と近代におけるその変容 153

第8章 男性中心の社会で活躍した女性と2つの運動 203

演習編 255

第1章

ローマ・中国における「古代帝国」成立までの経緯

講義編

文明は4つの河川のほとりから誕生した

本書が最初に扱うのは、世界史を学ぶ人がまず目にすることになる重要論点、「古代帝国」です。2つの古代帝国の共通点と相違点を問う2017年の東大世界史の問題を一緒に解いていきましょう。

といっても、いきなり600字の大論述に向き合うのは大変です。そのため最初に講義編として、古代帝国についての予備知識を高校世界史レベルでざっくりと解説します。この講義編の知識を頭に入れることで、東大世界史の論述問題は基本的に解くことができます。

古代帝国の前に、まずは人類の文明が誕生してきた過程について、簡単にご紹介します。

「四大文明」という言葉は、まだ世界史に触れていない方でも聞いたことがあるでしょう。メソポタミア文明・エジプト文明・インダス文明・中国文明の4つです。

これらは全て、世界各地の大河のほとりに誕生しました。メソポタミア文明はティグリス・ユーフラテス川、エジプト文明はナイル川、インダス文明はインダス川、そして中国文明は黄河・長江に対応しています。

では、現代でも知られる古代の文明は、なぜ河川のほとりに誕生したのでしょうか？ 実は、これらの河川は必ずしも超巨大な川というわけではありません。大きさだけで考えれば、アマゾン川やミシシッピ川など、世界にはまだまだ優秀な河川がたくさんあります。つまり、河川の大きさ自体は決定的な理由ではありません。

むしろ重要だと言われている要因の1つが、灌漑（かんがい）技術です。灌漑とは、河川や地下水などから農業に必要な水を引いてくることを言います。他にも、定期的な洪水によって肥沃な土を手に入れることのできた地域などもあります。ただ河川があるだけではなく、そこから水を持ってこられたり、農業に必要な栄養が手に入ったりしたからこそ、長きにわたって続く「古代文明」として現代まで名を馳せることができたのですね。

やがてヨーロッパを牛耳ることになる「ローマ」が登場

こうして古代文明が生まれてから数千年の時を経て、各地で特色のある国家が生まれてきます。その1つが、「都市国家」と呼ばれる形体の国家です。

西側で登場した都市国家として有名なのが、現在のイタリア周辺に登場したローマです。ラテン人の一派によって建て上げられたローマは、最初こそ一都市に過ぎない存在でしたが、周辺地域に何度も征服戦争を仕掛けては勝利を収め、その支配領域をどんどん拡大していきました。紀元前1世紀にはエジプトを征服して地中海を押さえ、1世紀後半にはかつてメソポタミア文明が栄えた地域までをも治めるようになります。

この時期には、地中海周辺に限ってもたくさんの都市国家が存在しました。では、なぜローマが特に発展することができたのでしょうか？　これもさまざまな説明ができますが、1つには「1を10にする力」に長けていたのが重要だと考えられます。ローマは、ローマ法などの法的システムが発達していたり、水道や街道などのインフラが整備されていたりと、ソフト・ハードの両面で洗練されたものを持っていました。しかし、これらは実はローマのオリジナルではありません。多くのものは、ギリシアなどの先人たちから学んできたものを改良しているのです。つまり、ローマの人々は、「1を10にする」のが非常に得意だったからこそ発展することができたと言えるでしょう。

ローマの重要な伝統だった「共和政」に見えはじめた陰り

大きく繁栄したローマの重要な伝統であり、特徴でもあったのが「ローマ共和政」です。この共和政は、3つのアクターによって支えられていました。まず、絶対的な権限を持っていたのが、執政官と呼ばれる人々です。貴族から選挙で選ばれた彼らは、国家の政治全般を推し進めました。そんな彼らを指導・監督し、国を実質的に支配していたのが、貴族の会議である元老院です。そして、最後に重要なのが、中小の農民、いわば一般の男性市民（平民）によって構成された民会です。ローマの政治は、貴族による独占的な支配と、それに対抗しようとする平民たちとが争い合いながら、ちょうどいいバランスの中で執り行われてきました。

しかし、このバランスに少しずつ陰りが見えはじめます。そのきっかけの1つが、平民たちの没落です。当時の平民たちの多くは、もともと自分の土地で小規模な農業を営んでいました。しかし、土地の主である平民たちが度重なる征服戦争に駆り出されるうちに、手入れをする人を失った土地が荒れ果てていってしまったのです。

さらに同じ頃には、広大な土地を持った有力者が、奴隷を使って大規模な農業を営むようになっており、これも平民たちに打撃を与えました。基本的に、大抵のことは大規模にやったほうが効率が良くなりますよね。農業も同じで、狭い土地で個人がコツコツとものを育てるよりも、広い土地で多くの人員を動員して育てたほうが、安く大量に収穫できます。このように生み出された農作物が市場に行き渡るようになると、中小農民は太刀打ちできません。こうして、ローマの伝統的なバランスは崩れていきました。各地では、生活に苦しんだ人々や、金持ち・支配者層に不満を持っていた奴隷たちによる反乱が相次ぎ、国内の情勢は不安定になっていったのです。

ローマに現れた2人のカリスマ

混乱したローマはこのまま沈んでいくかに思われましたが、紀元前1世紀に登場した2人のカリスマによって持ち直し、「古代帝国」として栄光の時代を築くことになりました。

1人目のカリスマが、かの有名なカエサルです。彼は、3人の有力者のうちの1人として立ち上がったのち、他の有力者たちを押しのけて単独トップに立ちました。そして、ローマの独裁者として数々の改革を実施し、国家をまとめ上げたのです。しかし、古き良きローマ共和政の一角を担っていた元老院の保守的な人々は、カエサルの独裁に対して危機感を抱いていました。その結果、彼は改革の道半ばで暗殺されてしまいます。「ブルートゥス、お前もか」という最期の言葉はあまりに有名ですね。

続いて現れた2人目のカリスマが、オクタウィアヌスという人物でした。ライバルとの政治闘争を経て権力を握った彼は、「カエサルと同じ轍は踏むまい」と思ったのか、あからさまに独裁者として振る舞うのは避けることにしました。むしろ彼は、自分のことを「市民の中の第一人者」と名乗り、「あくまで自分は市民であって、元老院のこともローマ共和政もちゃんと尊重しますよ」という姿勢を取ったのです。ただし、彼が握った権力は、実質的には「皇帝」の名にふさわしいレベルのものだったため、ここからローマは「帝国」と呼ばれるようになります。

中国文明の興った地でも動きあり

当時、ローマと並ぶ強大な勢力がもう1つありました。それが、いわゆる中国周辺、黄河・長江流域に発展した国家です。

この地域に大きな変動が生じたのが、紀元前8世紀から紀元前3世紀にかけての、春秋戦国時代と呼ばれる時代です。大人気漫画『キングダム』で描かれているのも、この春秋戦国時代の後期です。

なぜこの時代に変化が起こったのでしょうか？ その原因の1つが、農業の発展です。特に戦国時代に入ると、人々の間で鉄製農具が使われるようになりました。例えば、土を耕して畑を作ることを想像してみてください。木製のクワやスキと鉄製の道具、どちらがより効率的に土を耕せると思いますか？ やはり、重さや硬さ、鋭さなどに優れた鉄製のほうが効率が良さそうですよね。実際そのとおりで、鉄製農具を使うようになってからは耕地開発が盛んになっていき、手工業なども発達していきました。

こうした農業の発達は、単に食べ物がたくさん手に入ってよかったね、という程度では終わりませんでした。優秀な道具が手に入ったことで、古い慣習などに縛られずとも、自分やその家族だけで十分な規模の農業を営めるようになったのです。こうして、古い慣習に基づく身分制度や血縁関係に基づくつながりなどが弱まってきて、個人や小家族の単位が重視されるようになってきました。

「始皇帝」が治める帝国が誕生

小さな単位でも十分やっていけるようになったことで、各地の有力者たちも独立していくようになりました。もともとは、周という国の王がトップで、それ以外の有力者たちは王を尊重することが求められていました。しかし、有力者たちは次第に尊大になり、「俺こそが王だ」と自称するようになっていったのです。

このような流れの中で台頭したのが、秦（しん）という国家です。最初は小規模に過ぎず、中国の中でも辺境の地に陣地を構えていた秦でしたが、招き入れた優秀なブレーンが行った改革によって次第に発展していきます。そしてついに、秦を東アジアのトップに引き上げる人物が現れました。それが、後に「始皇帝」と呼ばれる秦王、政（せい）（この一文字が名前）です。

彼は、バラバラに独立していた有力者たちの国を次々に倒し、ついに中国の統一を成し遂げました。そして、今まで名乗っていた「王」を超える「皇帝」を名乗ったのです。こうして、中国にもローマと並ぶ帝国が完成しました。

2つの帝国誕生の経緯は似ている？

さて、ここまで2つの古代帝国が成立するまでの過程をざっくりと見ていきました。この2つには、なにやら似たような流れがあったことにお気づきでしょうか。

古代帝国の基礎となった国は、どちらも最初小さな国（都市国家）から始まりましたが、その後周辺の国を征服していき、最終的には帝国の名にふさわしい規模にまで成長していきました。こうした国家の発展プロセスは、実はこれまでの歴史研究上、「法則」のようなものがあるとして議論されてきたのです。

しかし、細かいところに注目すると、そこには当然ながら多くの違いがあります。帝国が登場するまでに、社会やそこで生きる人々がどう変わっていったのか。帝国統治者の呼び名はどのように登場したのか。これらの違いに注目することなくして、古代帝国を理解することはできません。

これから検討する東大の問題も、まさに両地域の共通点と相違点の双方に注目させる問題となっています。それでは、いよいよ東大世界史の問題に挑戦してみましょう。

演習編

問題（2017年）

「帝国」は、今日において現代世界を分析する言葉として用いられることがある。「古代帝国」はその原型として着目され、各地に成立した「帝国」の類似点をもとに、古代社会の法則的な発展がしばしば議論されてきた。しかしながら、それぞれの地域社会がたどった歴史的展開はひとつの法則の枠組みに収まらず、「帝国」統治者の呼び名が登場する経緯にも大きな違いがある。

以上のことを踏まえて、前2世紀以後のローマ、および春秋時代以後の黄河・長江流域について、「古代帝国」が成立するまでのこれら二地域の社会変化を論じなさい。解答は20行以内で記述し、必ず次の8つの語句を一度は用いて、その語句に下線を付しなさい。※1行は30字。

【指定語句】　漢字　私兵　諸侯　宗法　属州　第一人者　同盟市戦争　邑

読解

演習編のはじめに　～東大世界史の第一歩～

ここからの演習編では、実際に出題された東大世界史の第1問、いわゆる「大論述」を使って、世界史をさらに深く学んでいきます。

と、その前に、まずは東大世界史の問題はどんな構成になっているのか、どんな特徴があるのかについて理解しておきましょう。これは本書で扱う10問全てに共通します。

まず、東大世界史の問題文は、ほとんどが2段落または3段落で構成されています。最後の段落に書いてあるのが、「この問題を通して考えてほしいこと」で、本書ではこれを「主要求」と呼ぶことにします。それ以外の段落は「リード文」と言って、主要求を考える前提となる文章です。そして、このリード文にこそ、東大世界史の醍醐味（だいごみ）、東大教授（出題者）の歴史観が詰まっていると言っていいでしょう。

つまり、問題について考えるためには、直接の問いである主要求だけでなく、リード文まで丁寧に読み込む必要があるのです。そうすることで、「東大はこの問題を通してどんな歴史観を提示したいか、どのように考えを巡らせてほしいか」が分かり、解答の筋も自ず（おの）

と決まってきます。「問題文を丁寧に読んでも仕方がない」と思う方もいるかも知れませんが、むしろこの問題文を読み込まないと、せっかく東大世界史を使って勉強する意味がありません。噛めば噛むほど味わい深くなるスルメのようなものだと思って、東大が提示する歴史観の面白さをじっくり体感していきましょう。

「古代帝国」が成立したのはいつなのか？

前置きが長くなりました。いよいよ第1章の本題、「古代帝国」の成立について考えていきます。

まず、今回の問題の軸を定めるべく、主要求を確認しましょう。第2段落には、『古代帝国』が成立するまでのこれら二地域の社会変化を論じなさい」とあります。二地域とは、講義編でも紹介したローマと黄河・長江流域（現在の中国に相当）のことですから、今回はローマと黄河・長江流域の社会変化について考えればいいと分かります。

ここで、考えるべき対象が「社会」の「変化」であるのには注意が必要です。つまり、政治制度ばかりに着目したり、変化を意識せずにだらだら歴史の流れを想起したりしてはいけないということです。「社会」という言葉は多義的ですが、少なくとも、政治のみならず経済や文化的な側面に注目してこそ見えてくる事実がある、ということが示唆されています。また、「変化」には、変化前の姿・変化した理由・変化後の姿がそれぞれ存在します。もちろん、この3つの要素全てを毎回漏れなく表せるとは限りませんが、自分の考えがちゃんと「変化」になっているかどうかは、常に意識しておきましょう。

そこまで分かったところで、次はいつからいつまでの時代を対象とすればいいか見ていきます。問題文によれば、今回は前2世紀から「古代帝国」が成立するまでを扱うようです。しかし、「前2世紀」は前200年から前101年までを指すとすぐに分かりますが、『古代帝国』が成立するまで」がいつなのかは、自明ではありませんよね。よって、今回の問題では、「古代帝国がいつ成立したのか」を確定させる必要がありそうです。もっと言えば、そもそも「古代帝国」が何なのかも意識すべきです。何のことか分からないままでは、それがいつ成立したかについても考えようがありませんからね。

「帝国」は「法則的な発展」を遂げてきた？

今回の問題の軸が分かったところで、第1段落、リード文のほうを読んでいくことにしましょう。

リード文の前半では、「帝国」という言葉が現代世界を分析するために用いられることがあり、その原型として「古代帝国」が着目されたこと、「古代社会の法則的な発展」について（歴史学上）盛んに議論されてきたことが語られています。

ここで重要なのが「古代社会の法則的な発展」です。従来の歴史研究で議論されてきた「古代社会の法則的な発展」とはどんなものなのか、押さえておく必要があるでしょう。

もしここで問題が終わっていたら、帝国の法則的な発展について考えればそれで十分だったかもしれません。しかし、一般論や従来の考え方に触れただけでは終わらないことがあるのが東大です。リード文の後半が「しかしながら」で始まっているのも、東大が、今まで必ずしも注目されてこなかった視点に気づかせようとしているからでしょう。

その視点とは、簡単に言えば、「類似点だけ見ていていいんですか？」というものです。従来は、似ている所を見てばかりで、各々に固有の特徴が見過ごされていたのではないか。「法則的な発展」と言える部分もあるものの、そこからはみ出したそれぞれの特徴や、違いにも目を向けるべきではないか。そんな問題意識が、このリード文から見えてくるのです。

統治者の呼び名の登場は、統治の完了、すなわち「帝国」の成立と一致

古代社会の発展、すなわち「それぞれの地域社会がたどった歴史的展開」に目を向けるに当たって、今回東大側が「違い」の例として挙げているのが、『帝国』統治者の呼び名が登場する経緯」です。

そして、この「帝国」統治者の呼び名が登場した瞬間こそ、主要求を読み解いた時に気になっていた「古代帝国がいつ成立したのか」の1つの答えでしょう。つまり、古代帝国の成立時期は、統治下の社会がその人を統治者と認めて名前を与えた時、または統治完了の証として統治者自らその名を名乗った時とほぼ一致するということです。

法則的な発展を理解した上で、そこからはみ出した部分を押さえるべし

これを踏まえると、今回考えるべき「二地域の社会変化」とは、紀元前200年から統治者の呼び名が登場するまでの、ローマと黄河・長江流域における社会変化のことだと分かります。

その際、「法則的な発展」の概要と、その枠に収まらない二地域それぞれの特徴を意識することが必要です。ここで、「法則的な発展」をどうでもいいものだと考えてはいけません。法則がどんなものか分かってはじめて、そこからはみ出した部分についても正確に捉えられるようになります。古代社会の法則的な発展は、教科書でも取り上げられる重要事項ですので、しっかり押さえましょう。

解説

都市国家的性格を失っていったローマ

かねてより議論されてきた「法則的発展」とは、大まかには、都市国家→領域国家→帝国というように、国家の性質や形態が成長していくことを指します。都市国家は、ある都市とその周辺部からなる小さな国家のことで、それが強力な1つの国家によって統合されたりすることによって大きくなったのが領域国家です。帝国は、さらに広大な地域を治めるものを指します（山川・新p17、第一p7）。

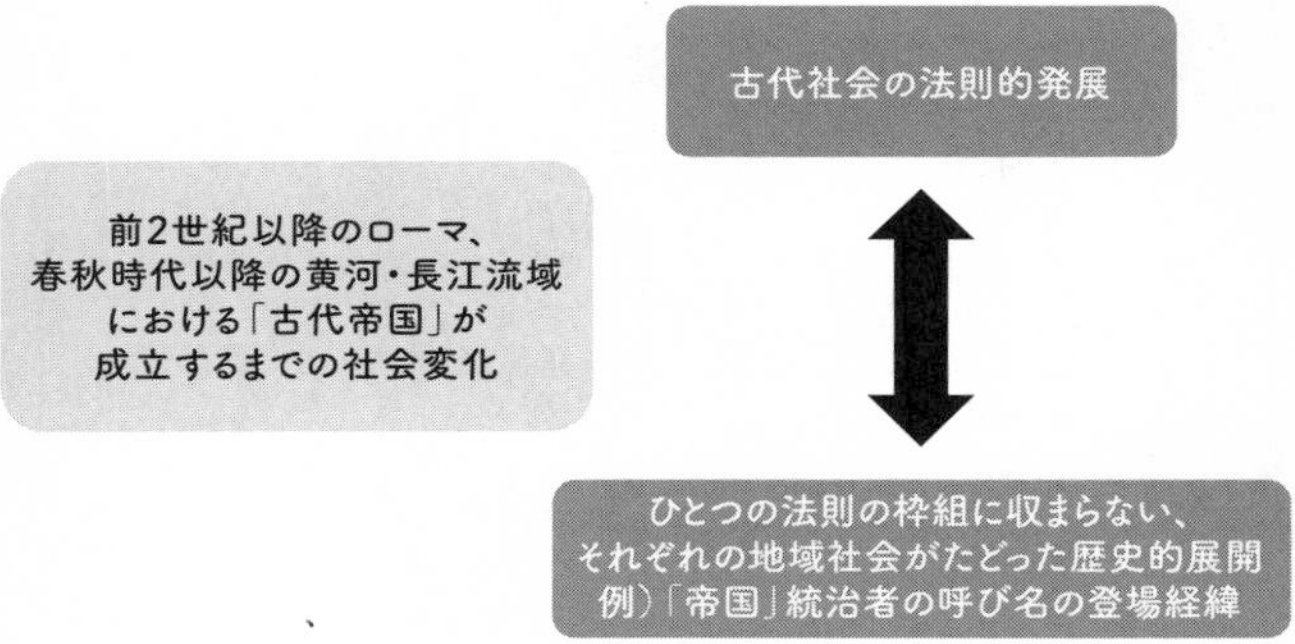

古代社会の法則的発展

前2世紀以降のローマ、
春秋時代以降の黄河・長江流域
における「古代帝国」が
成立するまでの社会変化

ひとつの法則の枠組に収まらない、
それぞれの地域社会がたどった歴史的展開
例）「帝国」統治者の呼び名の登場経緯

都市国家として一大勢力を築いたローマは、建国以来、周辺地域へと盛んに侵攻し、征服戦争によって勢力を拡大していきました。

しかし、戦争が度重なったことで農地が荒廃する一方、属州では戦争捕虜を奴隷として使役する大規模農場（ラティフンディア）が成功し、属州からの安価な穀物が流入してくるようになりました。こうして、もともと自立できていた中小農民は苦境に立たされていきます。この辺りの話は、講義編でもお伝えしましたね。

こうした状況に危機感を覚え、中小農民たちの地位や生活を取り戻そうとしたのがグラックス兄弟です。彼らは、民主政治の基礎となる市民たち、農民層を再興してローマの伝統を維持・回復しようと、大土地所有を制限するための土地改革を目指します。しかし、こうした動きは大地主などの金持ちや保守的な勢力にとって当然目障りで、グラックス兄は暗殺され、その遺志を引き継ごうとした弟も自殺に追い込まれました。

状況が悪化の一途を辿（たど）る中、ついに各地で反乱が起こりはじめます。その代表例が同盟市戦争です。同盟市とは、ローマと個別に同盟関係を結んだ都市のことで、その市民には自治権が与えられたものの、政治参加や免税などの特権（ローマ市民権）は認められていませんでした。この状況に対する不満が爆発したのが、同盟市戦争だったわけです。

この対処に当たったのが、当時有力だった政治家のマリウスやスラたちです。彼らはこの頃激しい政治闘争を繰り広げており、自分の名声を高めるチャンスを狙っていました。そんな中で各地で反乱が起こったため、彼らは「この反乱を鎮めれば、自分たちの評価も上がるだろう」と考えて、反乱の平定に乗り出します。この時活躍したのが、有力者たちが独自に無産市民（土地を失うなどして貧しくなった下層民）を集めて訓練・編成した私兵です。従来のローマで軍隊と言えば、中小農民たちが自分たちで武装した重装歩兵で、これがローマ共和政を支える基盤でもありました。内乱とその平定過程を通じて、ローマの兵制の主体が重装歩兵から私兵へと変わったことに合わせて、共和政の伝統も次第に変容していったのです。

さらに、今後も同盟市戦争のような反発が起こることを恐れたローマは、同盟市にある程度歩み寄ることを決めました。その結果、同盟市民を含む、イタリア半島内の全ての自由民（奴隷や女性以外の人）にローマ市民権が与えられたのです。こうしてイタリア半島内の人々が共通の権利を持つようになったローマは、一都市国家としての性格を失い、領域国家的な存在へと変化しました（山川・新p78）。都市国家から領域国家への変容とは、まさに法則的な発展として議論されてきた話に合致しますね。

カエサルが準備し、オクタウィアヌスが完成させたローマ「帝国」

その後、元老院による伝統的な体制が内乱への有効な対処をできないでいる中で、ローマに2人のカリスマが現れ、「古代帝国」ローマが成立したという話は、講義編でも紹介しました。

まず現れたのがカエサルでしたね。彼は、同じく軍人・政治家であったポンペイウスと、著名な大富豪クラッススと手を組んで、元老院体制を打破しようと画策します。こうして結成されたのが、第1回三頭政治です。しかし、3人は協力体制を継続できず、クラッススの死によって第1回三頭政治は解散します。その後、残ったポンペイウスとの直接対決に勝利したカエサルは独裁権力を確立し、さまざまな改革を行いました。ちなみに、ポンペイウスのもとに進軍するカエサルが、ルビコン川を渡るに際して言ったとされる有名なセリフが、「賽は投げられた」です。

しかし、カエサルによる独裁は長くは続きませんでした。彼は、元老院の伝統を重視しようという姿勢をほとんど示さなかったことから、従来の体制をよしとする保守的な人々から疎まれてしまったのです。最終的に暗殺されてしまった話は、講義編でお伝えしたとおりです。

続いて現れたのがオクタウィアヌスです。カエサルの養子だった彼は、カエサルに仕えていた軍人であるアントニウスとレピドゥスという有力者と協力することを選びます。こうして結成されたのが、第2回三頭政治です。しかし、こちらも第1回と同様に程なくして崩壊してしまいます。オクタウィアヌスとアントニウスの仲を取り持つ「かすがい」的な役割を果たしていたレピドゥスが失脚した後、残る2人が激しく対立します。エジプトを巻き込んだアントニウスとの直接対決に発展したこの対立は、オクタウィアヌスの勝利によって終わり、彼が新たにローマの覇権を独占することになったのです。

このようにして覇権を獲得したオクタウィアヌスは、カエサルの失敗を教訓としていました。つまり、元老院をないがしろにして独裁を強行してはならないということです。彼は、あくまで元老院を尊重する姿勢を示すようにしたことで、事実上の独裁を絶妙なバランス感覚のもとで実現しました。

まず、エジプトを倒して凱旋したオクタウィアヌスに対し、元老院は「尊厳者(アウグストゥス)」という称号を授与しました。ここで彼は国家のさまざまな重要権限を一挙に獲得し、事実上の独裁を開始できるようになったのですが、彼はあくまで「第一人者(プリンケプス)」を自称しました。これは、「元老院の議員名簿の筆頭に記載され、会議で最初に発言する第一の人物」を意味します。つまり彼は、あくまで元老院という既存の制度の中のトップに過ぎないとアピールしたのです。こうして彼は、余計な反発などを回避しつつ、事実上の帝政を開始しました。尊厳者や第一人者という呼称が登場したこの時こそ、「古代帝国」としてのローマが誕生した瞬間と言えるでしょう。

実力本位の傾向が進み、領域国家が各地に生まれた黄河・長江流域

一方、黄河・長江流域では、農業の発展によって旧来の身分制度や血縁関係が弱まり、個人や少家族の単位が自立するようになってきたと、すでにお伝えしましたね。これについて、もう少し詳しく見ていきましょう。

当時、黄河流域では、鎬京（こうけい）（現在の西安付近）に都を構えた周という王朝が大きな力を持っていました。周は、当時としてはかなり広大だった領土を治めるために、封建制と呼ばれる統治体制を採用します。これは、自分の一族などに土地を与えて諸侯とし、その土地の統治を代々彼らに任せるもので、このようにして形成された都市を「邑（ゆう）」と呼びます。

さらに、当時の社会で封建制を支えたのが、宗法（そうほう）という一種のルールです。父系の親族集団を指す「宗族」の内部で守るべきルールとして宗法を重視し、皆で守り行うことは、

血縁関係（氏を共有するという意味で「氏族」とも言う）に基づく結束を強化する役割を果たしました。

このような伝統的結束が弱まるきっかけになったものの1つこそ、鉄製農具の普及等による農業の発展だったわけです。さらに、この頃には北方からの異民族の侵入が相次ぎ、周は鎬京を捨て、東方の洛邑（らくゆう）（現在の洛陽付近）に遷都してしまいます。周自身も弱体化しつつあったことがわかりますね。

こうした状況の中で、黄河・長江流域では実力本位の傾向が強まっていき、各々が領域国家を形成しはじめました。周をトップとしてその下に集うのをやめ、諸侯たちが自らの力を顕示するようになってきたのです。と言っても、いきなり周王をすっぱりと見限ったわけではありません。周が遷都してすぐからの春秋時代には、諸侯の中でも有力な者たちが「覇者」と名乗ってその力を競いつつ、周王を尊重するという体裁は維持していました。その後、戦国時代と呼ばれる頃になると、周王を無視して有力者自ら「王」を自称し、独自に富国強兵を図るようになっていきます。こうして、黄河・長江流域でも領域国家が形成されていったのです（第一p35）。

この間、文化的な面でも新しい動きがありました。まずは、漢字が発明され、着実に普及していったことです。古代中国の殷王朝以来形成されてきた文字である漢字によって、情報を広く後世まで伝えられるようになったことで、多様な風土・言語を持つ諸地域が結び付けられていきました。そして、「中国」という文化的なまとまりが形成されてくるとともに、「中国」の外にいる者たちと自分たちとを区別するような「中華意識」も共有されるようになります。

さらにこの時期には、他にもさまざまな思想が生まれました。実力本位の風潮が強まる中で、自分の領土をよりうまく支配したかった各地の有力者たちが、思想家をブレーンとして迎える例も出てきています。

その代表例が、商鞅（しょうおう）という思想家を招いて国を大きく発展させた秦です。そして、最盛期の秦で王を務めた「政」も、李斯という思想家を宰相として登用し、他の国を併合して古代帝国を成立させました。この時彼は、王を超える存在として、史上初めて「皇帝」を名乗りました。こうして見ると、オクタウィアヌスが旧来の仕組みを尊重する形で「第一人者」を名乗ったのとは、だいぶ経緯が違いますよね。

ここまでの内容をまとめれば、解答は完成です。

◎第1章のまとめ（解答例）

都市国家から領域国家を経て古代帝国に至る等、古代社会の法則的発展が議論されてきた。しかし、都市国家的秩序の変容過程や「帝国」統治者の呼び名の登場経緯には違いがある。ローマでは、征服戦争の間に農地が荒廃し、**属州**から安価な穀物が流入して中小農民が没落した。農民層の再興を目指す改革が失敗した後、有力政治家同士が争う中で軍隊は中小農民からなる重装歩兵から有力者の**私兵**へ変容し、また、各地でローマ支配への反乱が起き、**同盟市戦争**ではイタリアの全自由民にローマ市民権が与えられ、都市国家的性格が失われた。元老院体制が内乱に有効に対処できない中、カエサルは第一回三頭政治を経て独裁権力を確立するも元老院共和派に暗殺され、第二回三頭政治で台頭したオクタウィアヌスが「尊厳者」の称号を元老院から授かった。彼は共和政を尊重して「**第一人者**」を自称しつつ、事実上の帝政を開始した。黄河・長江流域では、農業生産力の向上による小家族単位の農業の拡大等で**宗法**に基づく氏族の統制が緩み、**邑**を結び付ける封建制も揺らぎ始めて、実力本位の傾向が強まり、諸侯が領域国家を形成し始めた。春秋時代には覇者が周王を尊重して諸国を束ねたが、戦国時代には周王を無視して王を自称し、富国強兵を進める**諸侯**が増えた。この間、**漢字**等の文化が広がり、中華意識が共有されていった。そして秦王が中国を統一し、王を超える「皇帝」の称号を採用して古代帝国を成立させた。

…

〈参考文献〉

- **樺山紘一ほか編集『岩波講座 世界歴史5帝国と支配』**（岩波書店、1998）

近年、岩波書店からは「岩波講座 世界歴史」という同名のシリーズが刊行されていますが、古いほうのシリーズを構成する1冊です。ローマと黄河・長江流域それぞれの社会変化を比較する上でのポイントや、両地域がたどった法則的な発展について考える示唆を与えてくれます。

- **宮崎市定『中国史（上）』**（岩波書店、2015）

20世紀に活躍した中国史研究家による書籍です。中国史の伝統的な理解、本問で言えば黄河・長江流域の発展と法則的な発展についての理解を深めることに役立ちます。

- **南川高志編『《歴史の転換期》1. B.C.220年 帝国と世界史の誕生』**（山川出版社、2018）

比較的近年に刊行された「歴史の転換期」シリーズのうち、ローマと黄河・長江流域での世界的古代帝国形成について注目した1冊です。紀元前220年を1つの「転換期」と見て、当時の人々が「帝国」にどう対応したか、両者がどのような特徴を持っていたかについてより深く考えてみたい方にはおすすめです。

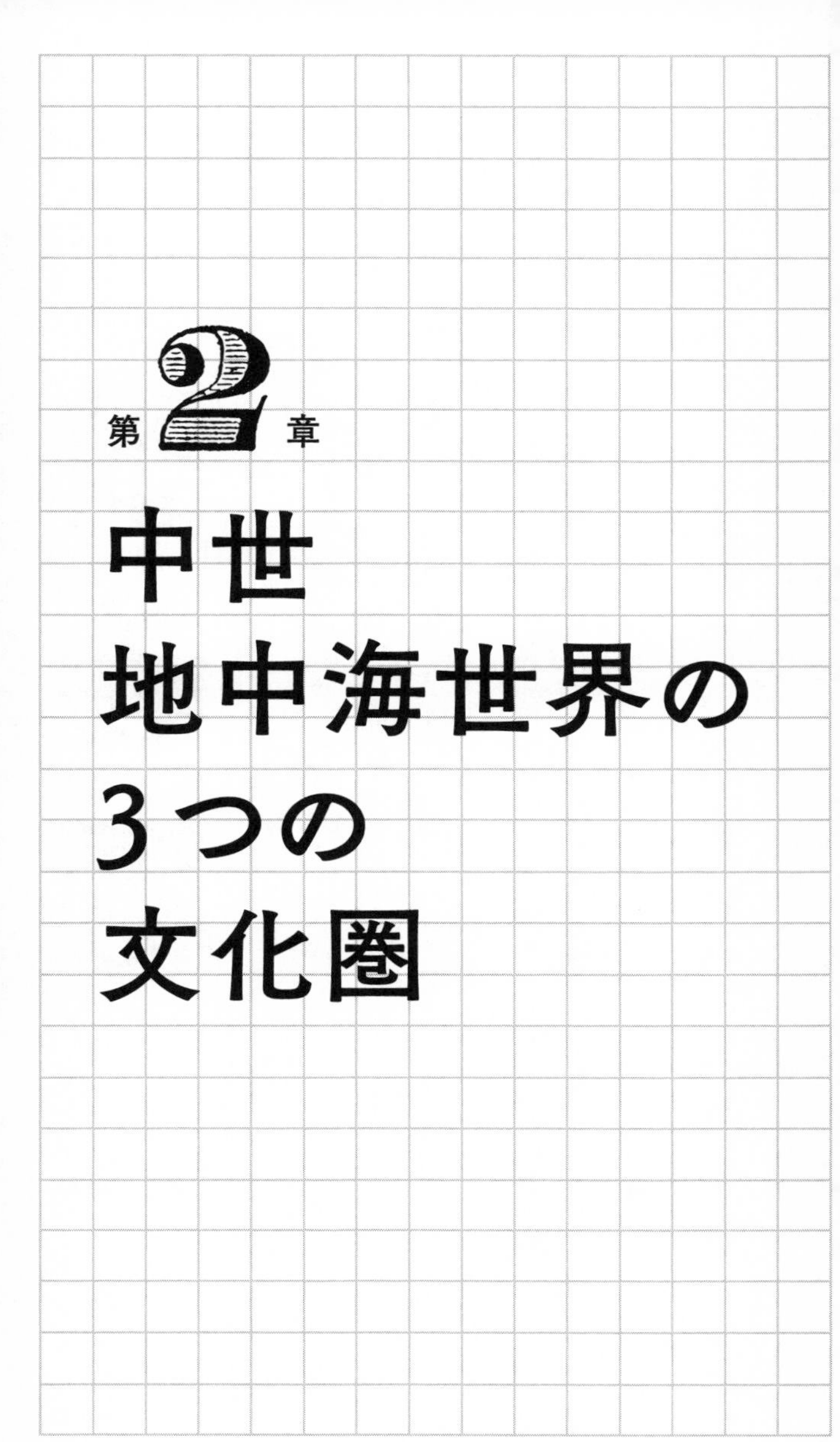

第2章

中世 地中海世界の3つの文化圏

講義編

本章では、先ほど紹介した古代に続く「中世」という時代について見ていきます。今回特に中心となるのが、「地中海世界」と呼ばれる地域です。この地域は、第1章で紹介したローマ帝国がしばらく支配していましたが、ローマが次第に弱体化していくに伴って、情勢がどんどん変わっていきました。

そして、地中海は（もしかすると皆さんの想像以上に）大きいため、それを取り囲む地域の範囲も広くなります。地図を見てもらえれば分かるとおり、北はイタリアをはじめとするヨーロッパ、東はトルコや中東地域、南はアフリカ大陸の北部と接しているのが地中海です。これらの地域は、現代に照らし合わせて考えるだけでも、それぞれだいぶ異なった雰囲気の地域だと感じますよね。実際、ローマ帝国の影響力の低下とともに各地で発展していった文化は、地域ごとにさまざまな様相を呈しました。そんな中世の地中海世界を考える上で、東大は、発展のバリエーションに注目させるような出題をしてきます。問題文を見る前に、まずは講義編で予備知識をおさらいしましょう。

たけき者、ローマ帝国もついには滅びぬ

第1章で紹介した時点では強力な支配を確立していたローマ帝国。実際、その後しばらく、西ヨーロッパから中東地域などに至る地中海世界は、ローマ帝国によって統治されていました。ローマ帝国内の交易・交通網が整備され、各地が発展し、人々が平和な時代を謳歌できたことから、この頃を「パクス・ロマーナ」（ラテン語で「ローマの平和」の意）とも呼ぶほどです。

しかし、こうした支配は永遠には続きませんでした。ローマは、当時としてはあまりに大きくなりすぎてしまったため、治めきれない地が少しずつ出てきてしまったわけです。近隣にもライバルとなる国が出現したり、異民族が侵入してきたりするようになり、少しずつその権威を落としていきます。

そしてついに、ローマ帝国は1つではいられなくなり、東西に分裂することになりました。こうして、かつての統一的な「ローマ帝国」は消滅したのです。さらにその後、西ロ

ーマ帝国のほうは、異民族による侵攻などによって滅亡し、残るは東ローマ帝国だけとなってしまいました。

東ローマ帝国はしぶとく生き残り、独自の文化を形成

分裂後、耐えきれずすぐに滅亡してしまった西側とは対照的に、東側はしぶとく存続し、その権威を保ちました。なんと、この後1000年以上にわたって、「ローマ帝国」の生き残りとして地中海世界の一角を担ったのです。

では、なぜ東ローマ帝国は長きにわたって生き残れたのでしょうか。

まず、首都コンスタンティノープル（現在のイスタンブール）が重要な役割を果たしました。この都市は、ヨーロッパとアジアをつなぐ交通の要所であり、東西の文化が交流する場でもありました。また、コンスタンティノープルは堅固な防御施設を備えており、外敵の侵入を防ぐのにも役立ったのです。

また、東ローマ帝国は経済的・文化的に繁栄するチャンスを逃しませんでした。前述のとおり絶妙な位置取りだった首都を有する東ローマ帝国は、地中海貿易の中心地として栄え、豊富な資源と税収を獲得したのです。また、ギリシア語を中心とした学問も発展しま

した。

さらに、東ローマ帝国は政治的にも安定していました。皇帝は強力な中央集権体制を築き、東方正教（東方で発展したキリスト教の一形態）を国教として採用し、宗教的なまとまりを保っていました。このため、帝国内の民族や宗教対立が抑えられ、内部の結束力を維持したのです。

こうして、東ローマ帝国は、地中海世界の東側で、ギリシア語と東方正教を特徴とした文化を築き上げました。

西側のローマ帝国も負けじと「復活」を遂げる

東ローマ帝国が一大勢力を築いた一方、西側はただ黙ってそれを見ているだけだったのでしょうか？　実はそんなことはなく、西側もローマ帝国の「復活」と呼べるような事態が起こっていたのです。

その核となったのが、帝国崩壊後も残ったカトリック教会という強力な組織と、西ヨーロッパに現れたルーキー的な王の存在です。

まず、ローマ帝国が崩壊したとはいえ、帝国が国家統治の基盤としたカトリック教会組織は未だ西ヨーロッパ世界で大きな権威を維持していました。教会は、帝国とは独自に発展し、各地に根付いていたとも言えるでしょう。とは言え、教会という宗教的な組織だけでいつまでも生き残れるわけではなく、東ローマ帝国が有していたような、世俗的な世界における強力なリーダーを欲していました。

そこに現れたのが、カール大帝という1人の王様です。彼は、ローマ帝国亡き後の西ヨーロッパ世界で発展していた王国のリーダーとなり、各地を征服しつつ侵入者を撃退して、その領土をどんどん拡大していました。まさに教会が欲していた人材が現れたのです。

また、カール大帝のほうも、実は教会を頼りたい部分がありました。領土を拡大していく過程で、自分の統治を正当化する根拠となるものを欲していたのです。そんな彼にとって、教会と手を組むことは、自分が各地を統治するのにふさわしい存在だと示すチャンスでした。

そこで両者はタッグを組むことになります。こうして、地中海の北側に位置する西ヨーロッパでも教会と皇帝を合わせた存在が「復活」しました。

「新興勢力」たるイスラームが中東で勢力を拡大

キリスト教の世界が地中海の周辺で出来上がりつつあった頃、中東では新たな勢力が現れていました。それがイスラームです。

神からの啓示を受けたとするムハンマドによって興(おこ)ったイスラーム教という新たな宗教は、まずアラビア半島を中心に拡大し、その後さらに北アフリカ、イベリア半島、イラン高原などに至るまで広がっていきました。

イスラーム系の王朝は、征服地の民族・宗教の多様性をある程度認めるなど、比較的寛容なものとして受け入れられていきました。こうして、アラビア語とイスラーム教を中心とする文化圏を築いていったのです。

しかし、イスラーム勢力の拡大は、キリスト教との対立も招きました。ここまで見てきた3つの文化圏は、地中海を囲みながら、時に対立し、時に影響を与え合っていたわけです。ここからは、地中海世界の発展について東大世界史の問題を通してさらに詳しく見ていきましょう。

演習編

問題（2021年）

ローマ帝国の覇権下におかれていた古代地中海世界は、諸民族の大移動を契機として、大きな社会的変動を経験した。その際、新しく軍事的覇権を手にした征服者と被征服者との間、あるいは生き延びたローマ帝国と周辺勢力との間には、宗教をめぐるさまざまな葛藤が生じ、それが政権の交替や特定地域の帰属関係の変動につながることもあった。それらの摩擦を経ながら、かつてローマの覇権のもとに統合されていた地中海世界には現在にもその刻印を色濃く残す、3つの文化圏が並存するようになっていった。

以上のことを踏まえ、5世紀から9世紀にかけての地中海世界において3つの文化圏が成立していった過程を、宗教の問題に着目しながら、記述しなさい。解答は20行以内で記し、次の7つの語句をそれぞれ必ず一度は用い、その語句に下線を付しなさい。※1行は30字。

【指定語句】ギリシア語　聖像画（イコン）　グレゴリウス1世　クローヴィス　ジズヤ　バルカン半島　マワーリー

読解

地中海に成立した3つの文化圏

先ほどの第1章を通して、東大の問題への取り組み方、東大の問題を手がかりにした歴史の考え方についてはある程度ご理解いただけたでしょうか。これ以降の問題も、基本的に同じ流れで進めていきます。

さて、今回も2段落目に書かれている主要求から見ていきます。今回は、「5世紀から9世紀にかけての地中海世界において3つの文化圏が成立していった過程」について考える問題です。今回は、先ほど扱った問題とは異なり、時代範囲は明確に指定されています。ここでは、指定された範囲の始まりに当たる5世紀、終わりに当たる9世紀がどんな時代だったのか、まず押さえておく必要がありそうです。

そして、今回のテーマとなるのが、「地中海世界における3つの文化圏の成立」です。地中海世界とは、地中海の周辺を取り囲む地域のことで、現在で言えばイベリア半島からヨーロッパ南部、中東、そしてアフリカ北部の辺りを指します。5世紀から9世紀にかけては、ここに「3つの」「文化圏」が成立したそうです。考えるべきは、そもそも「文化圏」とはどういうものなのか、そして3つの文化圏はそれぞれどんな特徴によって他と区別されるか、という点でしょう。

また、今回考える対象は、成立した文化圏そのものではなく、成立していった「過程」です。過程とは、物事が進んだり変化したりしていくその道筋のことを指します。つまり、先ほどの問題で扱った「変化」と同様、変化前・変化理由・変化後を念頭に置いて、様子が変化していくその道筋を意識しなくてはなりません。

さらに、外せないのが、「宗教の問題に着目しながら」という副次的な要求です。今回の問題は、宗教という要素を軸にしながら、地中海世界の動きについて考えることが求められています。宗教は、文化圏の特徴を基礎づける非常に重要な要素でもあるので、これに注目しながらリード文を読んでみることにしましょう。

地中海を巡って繰り広げられた勢力争いが、やがて文化圏を作り出す

リード文は、古代地中海世界がローマ帝国の覇権下に置かれていたこと、それが諸民族の大移動をきっかけに大きく変動したことから始まります。ローマ帝国が分裂し、程なくして西側が滅亡したことは講義編でお伝えしましたよね。より正確に言うと、古代ローマ帝国が東西に分裂したのが395年、西ローマ帝国が滅亡したのが476年です。これは、主要求で示される今回の問題範囲の始期である5世紀にほぼ合致します。つまり、今回の問題では、ローマ帝国が諸民族の大移動をきっかけに動揺・滅亡して以降、地中海世界でどのような動きが見られたかについて考えることが求められているわけです。

こうして、実質1強状態だった大国のローマ帝国が動揺・滅亡したことで、地中海世界は新たなステージに入ることになります。その結果この地域で起こったことの大筋をまとめてくれているのが、リード文の2文目以降です。

まず注目すべきは、「新しく軍事的覇権を手にした征服者と被征服者」、「生き延びたローマ帝国と周辺勢力」が指しているものが何なのか、です。東大の問題は、このように抽象的なヒントだけを提示して、その先を受験生に考えさせることを通して、歴史をよりよく理解できるようになっています。今回も、征服者と被征服者、生き延びたローマ帝国と周

辺勢力に当たる国や地域がどこなのかを考えながら、問題を検討することにしましょう。みなさんもぜひ自分なりに考えてみてください。

また、それらの間に「宗教をめぐるさまざまな葛藤が生じ、それが政権の交替や特定地域の帰属関係の変動につながることもあった」ことも押さえる必要があります。特にここでは、宗教を巡るさまざまな葛藤「が」政権交代や特定地域の帰属関係の変動につながったと言えることが重要です。つまり、この地域に宗教を巡る葛藤があったことと、政権交代などをバラバラに捉えてはだめで、前者が後者につながったと言えるだけの関係にあることまで丁寧に説明できなければなりません。

そして、こうした「摩擦」を経ながら、地中海世界には「3つの文化圏が並存するようになっていった」わけです。問題の指定範囲の終わりである9世紀は、この3つの文化圏が明確に現れた時代であったと考えられます。

文化圏を特徴づける要素とは?

最後に、中世初期の地中海世界に並存することになった3つの文化圏が、それぞれどんな要素によって特徴づけられたのか、少し考えてみましょう。

まず、ここまで読んできた問題文から、それぞれ宗教的に異なった特徴を持っていることは間違いなさそうです。特に、もともとローマ帝国がカトリックを採用していたことからすると、3つの文化圏のうち1つはカトリック的な要素を持っていることが想像できますね。

では、他に「文化」と聞いて、皆さんは何が思い浮かぶでしょうか。衣食住や芸術、文学などを思いついた人も多いでしょう。もちろんこれらの文化的な要素は重要なのですが、こうした要素を統合し、文化「圏」をまとまりとして特徴づけるに相応しい要素が1つあります。それが言語です。言語や文字は、言語によってコミュニケーションを取る人間生活に不可欠であり、さまざまな文化的要素は言語によって基礎づけられています。指定語句の中にも「ギリシア語」があるため、言語を重要な要素と見るのは間違いなさそうです。そこで今回は、宗

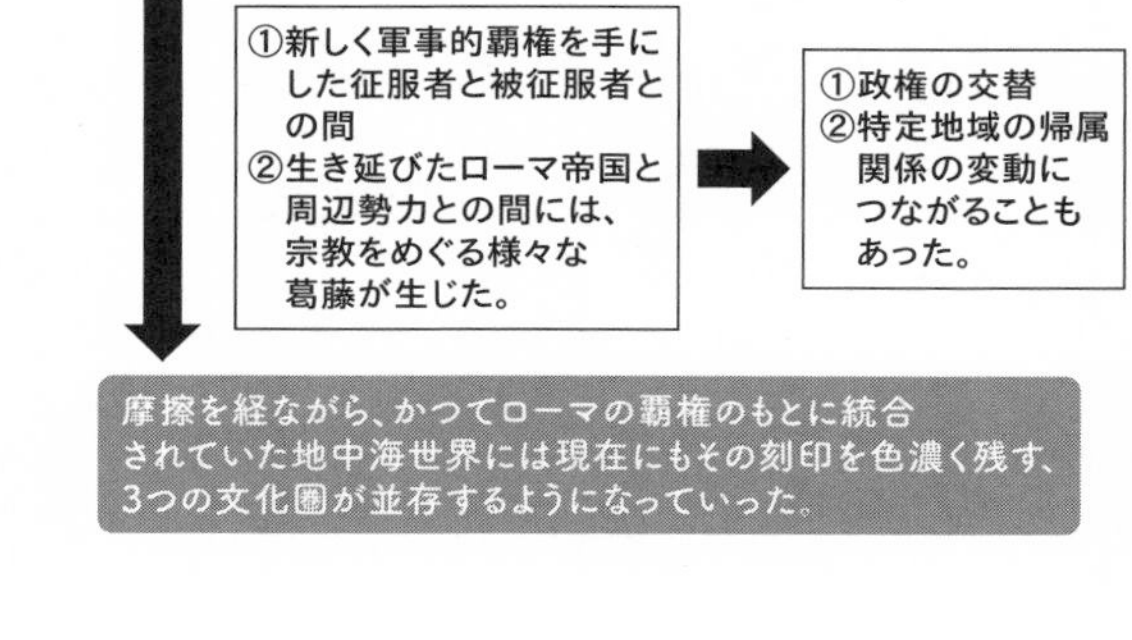

5世紀から9世紀にかけての地中海世界において3つの文化圏が成立していった過程

ローマ帝国の覇権下におかれていた古代地中海世界は、諸民族の大移動を契機として、大きな社会的変動を経験した。

①新しく軍事的覇権を手にした征服者と被征服者との間
②生き延びたローマ帝国と周辺勢力との間には、宗教をめぐる様々な葛藤が生じた。

→

①政権の交替
②特定地域の帰属関係の変動につながることもあった。

↓

摩擦を経ながら、かつてローマの覇権のもとに統合されていた地中海世界には現在にもその刻印を色濃く残す、3つの文化圏が並存するようになっていった。

教と言語という2つの要素に特に焦点を当て、それらによって3つの文化圏を区別することができないか、検討してみることにしましょう。

解説

征服者ゲルマン人と、その中で被征服者ローマ人たちの支持を得た勢力

まずは、西ローマ帝国が滅亡して以降のヨーロッパの情勢について見ていきます。

4世紀後半以降、古代ローマ帝国は肥大しすぎてしまった領土や軍隊、官僚などを維持することができず、内部で混乱が相次ぐことになりました。この中で、ゲルマン人の諸部族が東方から地中海方面へと大移動を開始したことで、古代ローマ帝国は分裂を余儀なくされ、さらに西ローマ帝国もほどなくして滅亡してしまったのです。

こうして滅亡した旧西ローマ帝国の領土には、東方から移動してきたゲルマン部族による王権が分立することになりました。新たにこの地に進出した彼らの多くが信仰したのが、キリスト教のアリウス派という一派でした。しかし、実はこのアリウス派、4世紀前半に開催されたニケーア公会議というキリスト教の協議を整理するための会議によってすでに

異端とされていたのです。

一方、この地に残った被征服者であるローマ人たちの多くは、正統派とされていたアタナシウス派を信仰していました。すると、両者は信仰の面で一致することができず、うまく協力関係を築くことは叶いません。そこで登場したのが、ゲルマン系王権の1つであるフランク王国の王、クローヴィスです。彼は、ローマ人たちと協力して彼らの優れた行政技術を継承すべく、ゲルマン固有の地域信仰からアタナシウス派に改宗しました。その結果、彼とローマ人たちとの間に宗教的な摩擦はなくなり、異端を信仰する周辺部族よりも一歩リードする形となりました。この出来事は、フランク王国が後の西ヨーロッパ世界における中心として名を轟かせる一因となったのです。まさに、宗教をめぐる葛藤が政権交代や地域の帰属の変更につながった好例と言えるでしょう。

この少し後の時期で注目すべきもう1人の人物が、グレゴリウス1世です。ローマの名門貴族出身である彼は、東ローマ帝国が重視したコンスタンティノープル教会から離れ、西ヨーロッパ各地でキリスト教の布教に努めました。こうして、西ヨーロッパは、西ローマ帝国が滅亡して以降、徐々に独自の道を歩みはじめるようになります。

生き延びた東ローマ帝国も、新興勢力との争いの中でその様相を変えていく

5世紀には滅亡してしまった西側とは異なり、東ローマ帝国はなおも「ローマ帝国」としてしぶとく生き残りました。そんな東ローマ帝国を語る上で欠かせないのが、ユスティニアヌス帝です。彼は、それまでのローマ法をまとめた一大法典である『ローマ法大全』の編纂を命じるとともに、コンスタンティノープルのハギア＝ソフィア聖堂を3度にわたって再建し、キリスト教世界の中心としての存在感を示しました（なお、現在聖堂はアヤ＝ソフィアと呼ばれ、イスラーム教のモスクとして使用されています）。

さらに、ユスティニアヌスの時代には、周辺に存在していたゲルマン人諸国家も滅ぼし、東ローマ帝国は一時的に地中海の覇権を回復します。しかし、この覇権は長続きせず、彼の死後に新たな勢力の侵入が始まりました。その代表例が、7世紀に誕生したイスラーム勢力による侵攻です。

7世紀はじめにアラビア半島で誕生したイスラーム教は、その後勢力を拡大し、中東から各地へと征服活動を進めるようになっていました。そんな彼らが目をつけた地域がシリアやエジプトです。当時その地域を治めていた東ローマ帝国はこれに応戦しますが、これらの戦いをジハード（聖戦）と位置づけていたイスラーム勢力に抵抗しきれず、イスラー

ム勢力の地中海世界への進出を許すことになりました。

地中海東部の多くを奪われてしまった東ローマ帝国は、実質的にはバルカン半島と小アジアに限定されたギリシア人中心の国家へと変化していきました。従来までのラテン語に代わってギリシア語が公用語とされた7世紀以後の東ローマ帝国は、首都コンスタンティノープルの旧名にちなんで「ビザンツ帝国」と呼ばれるようになります（東京p61）。


拡大する一方で内部に問題が生じていたイスラーム勢力

イスラーム勢力は、アラビア半島や中東から始まって、さらには北アフリカやイベリア半島に至るまで、順調に勢力を拡大していきます。しかし、順風満帆に見えた彼らも、その内部にはある問題を抱えていました。それが、宗教に関する問題です。

7世紀中頃に成立したイスラーム王朝がウマイヤ朝で、このウマイヤ朝が各地に広大な征服地を獲得していきます。しかし、広大な土地は、ただ持っていればいいというものではなく、治めるためには当然お金がかかります。そこで、当時のウマイヤ朝は、土地に課す税金である地租（ハラージュ）と、人に課す税金である人頭税（ジズヤ）を集めることで、国家財政を補うことにしていました。これが、後の争いや政権交代を生むことになります。

ウマイヤ朝は、基本的にアラブ人を優遇する政策を取りました。その結果、アラブ人ムスリムはジズヤ免除等の特権を有していたのです。これに不満をためたのが、イスラーム教に改宗した非アラブ人（マワーリー）や、ウマイヤ朝創立当時から宗教的に相容れないとして反対の姿勢をとっていたシーア派の人々でした。彼らが中心となってウマイヤ朝への反対運動が展開された結果、ついにウマイヤ朝政権は打倒されることになります。こうして新たにできたのがアッバース朝です。

アッバース朝時代には、従来から優遇されてきたアラブ人に加えて、イラン人を中心とする新たな改宗者たちも政府の要職につけるようになり、民族ではなくイスラーム教が国家を特徴づける要素となっていきました。それと並んで、アラビア語もアラブ人の言葉という位置づけを超えて、あらゆるイスラーム教徒の共通言語としても定着していきます。こうして、この時代には、神学等のイスラーム教に関する学問や、アラビア語の文法学などの学問が盛んに行われるようになっていったのです。アラビア語とイスラーム教を中心とする文化圏が形成されていったことが分かりますね（山川・詳説ｐ89）。

「キリスト教」の間にも葛藤あり

最後に、生き延びた東ローマ帝国の系譜を継いだビザンツ帝国と、一度滅びた西ローマの地で新たに興った勢力が打ち立てたフランク王国という、キリスト教を採用している両国の間に生じた葛藤について見ていきます。

この頃のビザンツ帝国では、ある重要な命令が発布されました。それが、聖像禁止令です。当時のキリスト教世界では、イエス＝キリストや聖母マリアなどの聖像（画）やモザイクなどを布教の際に使用していいかが争われるようになっていました。言語による意思疎通が必ずしもうまくいかない周辺民族にキリスト教の話を分かりやすく伝える上で、聖像は重宝されていました。一方、当時勢力を拡大していたイスラーム教が偶像崇拝を非常に厳しく禁じていたこともあり、もともと偶像崇拝にセンシティブだったキリスト教の中にも、「やはり画像を使用して、それを礼拝するよう促すのはまずいだろう」という意見が出てきたのです。その中で、ビザンツ皇帝レオン3世は、ついにその利用を禁じることにしました。これが、聖像禁止令です。

これに対して、当時西側のローマ教皇は強く反発しました。彼らはゲルマン人への布教を重視していたので、前述のとおり、聖像は彼らへの布教に役立っていたからです。また、ローマ教皇は、ビザンツ帝国やその皇帝がキリスト教世界で強い影響力を持っていることが不満で、その影響から逃れる機会を伺っていました。

そこで、ローマ教皇が目をつけたのがフランク王国です。西ローマ帝国の滅亡以降、その世俗的な後ろ盾をすっかり失っていたローマ教皇は、この禁止令の発布をチャンスと捉え、西側独自の世俗的リーダーを作り出すことにしました。当時のローマ教皇レオ3世は、フランク王国のカール1世に冠を授け、彼をローマ皇帝に仕立て上げました。こうして、西側にも古代ローマの称号を受け継ぐ権力が復活したのです。

そして3文化圏並存へ

戴冠前のカール1世は、王国の全方位に支配領域を拡大しつつ、文化や学問の発展にも気を配りました。イギリス出身の学者であるアルクィンをはじめとする学者を国外から多数招き、文化事業を主導させたのです。カロリング゠ルネサンスとよばれるこうした文化事業によって、聖職者のラテン語運用能力が向上し、ラテン語による文芸復興も進みました。こうして、西ヨーロッパにおいては、ラテン語とカトリックを基礎とする文化圏が誕生したのです（山川・詳説ｐ97）。一方、ギリシア語を典礼用語とした東方教会は、西方のカトリックとの間の溝を次第に深め、別の文化圏を形成していくことになります。これが、ビザンツ帝国を中心とした、ギリシア語と東方教会を基礎とする文化圏です（山川・新p94）。

以上で、言語と宗教によって特徴づけられる3つの文化圏が成立していく過程の確認が終わりました。宗教間の葛藤や、それに伴う政治的な変容を見ていくことで、もともとローマ帝国のもとにひとまとまりだった地中海世界が3極に分化していく過程について考えることができたはずです。

ここまでの内容をまとめれば、解答は完成です。

◎第2章のまとめ（解答例）

ゲルマン人諸部族の大移動開始以降、5世紀後半に滅亡した西ローマ帝国の旧領にはゲルマン部族王権が分立した。

…………

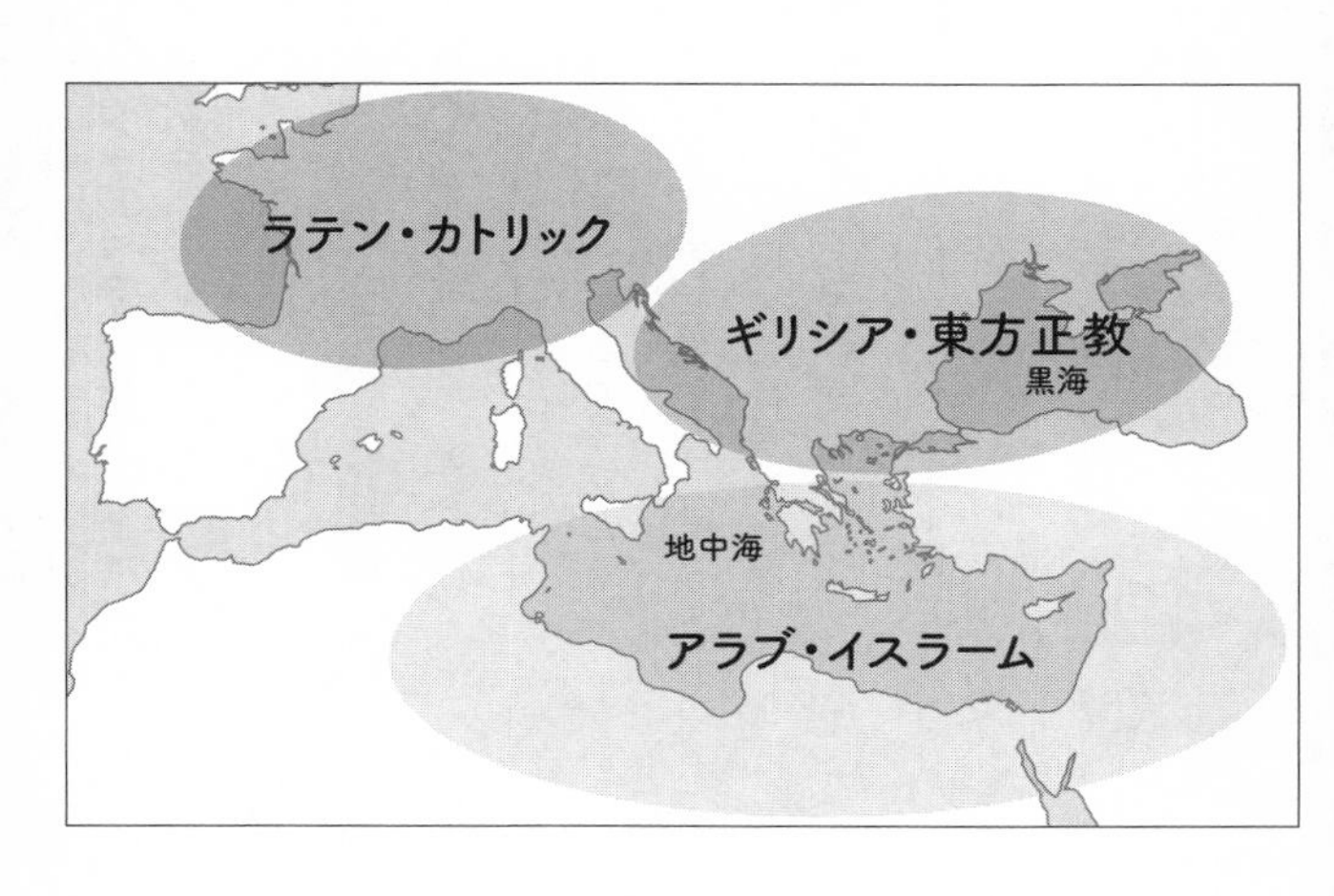

多くがアリウス派を信仰する中、フランク王国の**クローヴィス**はアタナシウス派に改宗した。これを支持したローマ教会はコンスタンティノープル教会からの分離傾向を見せ始め、**グレゴリウス1世**以降ゲルマン人への布教を熱心に行った。一方、東ローマ帝国は、ユスティニアヌス帝がゲルマン人諸国家を滅ぼして地中海覇権を一時回復したが、彼の死後、外民族の侵入が再開した。7世紀にはイスラーム勢力の侵攻で領土を**バルカン半島**と小アジアに限定され、**ギリシア語**を基盤とするビザンツ帝国へと変貌した。イスラーム勢力では、北アフリカやイベリア半島まで領域を拡大したウマイヤ朝で、**ジズヤ**免除等の特権を有すアラブ人に比べ不当に扱われた**マワーリー**やシーア派らが反抗した結果、ムスリム間の平等を掲げるアッバース朝へと政権が交代した。この頃、イスラーム関連の学問が花開いた。偶像使用を否定するイスラームの影響も受けたビザンツ帝国のレオン3世が**聖像画**使用を禁ずると、教会の東西分裂が進み、反発したローマ教会はフランク王国に接近し、800年にはカール1世にローマ皇帝の冠を授けた。彼は宮廷に学者を多数招き、ラテン語による文芸復興に努めた。こうして地中海世界にはラテン・カトリック文化圏、ギリシア・東方正教文化圏、アラブ・イスラーム文化圏が成立した。

〈参考文献〉

●本村凌二、高山博『衝突と共存の地中海世界』（左右社、2020）

刊行時点で東大教授・東大名誉教授だった2人による、古代から近世までの地中海世界について扱った1冊。この本の元となっているのは放送大学のテキストであるため、高校生でも読みやすい文体・分量となっています。「地中海世界」という捉え方で世界史を学べる書籍はそう多くないため、是非チェックしてみてください。

●三浦徹編著『《歴史の転換期》3．750年 普遍世界の鼎立』（山川出版社、2020）

第1章で紹介した「歴史の転換期」シリーズの3作目にあたる書籍で、8世紀にヨーロッパ・中東・中華（東アジア）の3地域で「世界」が形成されていったことについて語っています。今回の東大の問題はヨーロッパと中東で3つの文化圏が成立したという枠組みで検討しましたが、そこに中国を入れてみることで、より深い理解に役立つはずです。

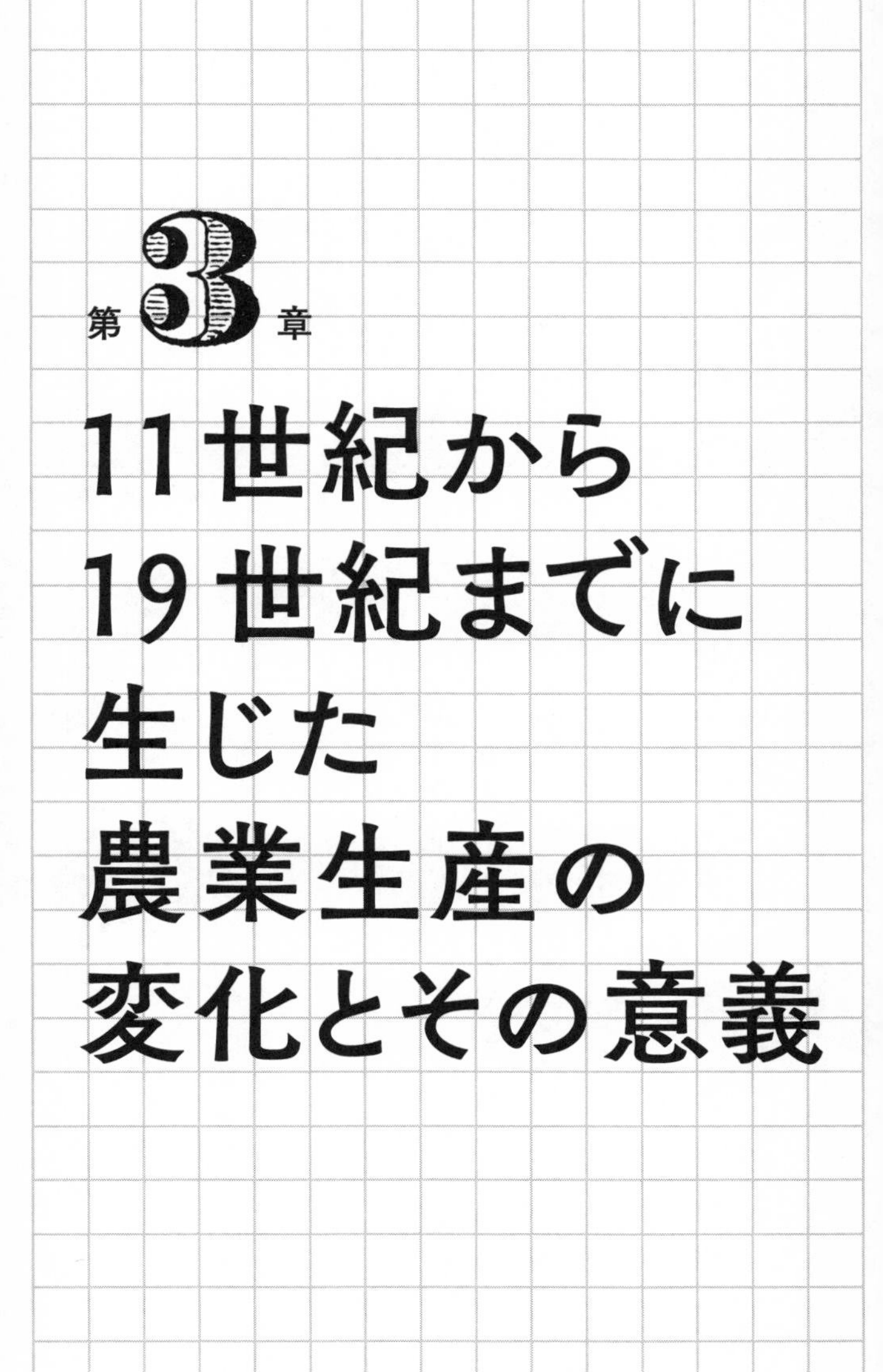

第3章

11世紀から19世紀までに生じた農業生産の変化とその意義

講義編

皆さんは、世界史の学習と言えば何を思い浮かべますか？　多くの人は、戦争や偉人、外交などについて学ぶことを想像するのではないでしょうか。

もちろん、政治や戦争、著名な人物について学ぶのは、世界史学習において非常に重要です。しかし、人類の歴史は、そうした目立った出来事や人々のみで作られているわけではありません。むしろ、目立たない人々や事例、日々の生活の集合こそ歴史を生み出しており、その代表例が農業です。食糧を生み出す農業がなければ人は生活することができず、歴史も生まれていなかったとすら言えるでしょう。

東大世界史は、政治史や外交史だけでなく農業の歴史にも焦点を当てて、「歴史上、農業生産の変化が世界史にどんな影響を及ぼしたか？」というテーマについても聞いてきます。

今回も、高校世界史レベルの農業史をしっかり頭に入れたうえで問題を解いていきましょう。

農業生産が変化すると何が起こる?

まず、農業生産が変化すると何が起こるかについて考えてみましょう。

先述のとおり、農業は私たち人間の生活の根幹となってきました。第1章で紹介した、古代の4大文明について覚えているでしょうか? あの4つの文明が発展した大きな要因の1つが、「農作物に水をやるための灌漑技術が発達していたから」でした。つまり、はるか昔から、農業によってその地域の人々のお腹を満たせることが、文明存続の鍵となっていたわけです。

人間生活の根本となる食を支えたのが農業だとすれば、その農業が変化することで、人間生活に、ひいては世界史に大きなインパクトがあることは理解していただけるでしょう。

たとえば、農業生産が従来よりも効率的になると、より多くの作物を短期間のうちに収穫できるようになります。すると、それを食べて生活する人々に余裕が出るので、今まで以上に人口が増加する余地が生まれます。そして、人口が増加すると、あらゆるモノの需要が増えたり、人手が必要な産業が発達したり、増えすぎた人が別の場所への移動を余儀なくされたりと、各所に影響が出てきます。こうした変化が重なり合った結果、世界全体が結び付けられていき、いわばグローバルな規模での世界史が作られていくことになるのです。

もちろん、世界史上の変化すべての原因を農業生産だけとすることはできませんが、それでも、世界史の担い手たる人間を食事面から養ってきた農業はやはり重要です。そこでここからは、農業生産の変化を機に世界が結び付けられていった事例について見ていきます。

かの有名な「十字軍」は農業生産の変化が原因だった⁉

皆さんは、「十字軍」を知っているでしょうか。世界史を学んだことのない方でも、ヨーロッパの勢力が東方に攻めていったことはご存じかもしれません。そんな十字軍が、中世ヨーロッパにおける農業生産の変化によって引き起こされたと聞いたらいかがでしょう。

11世紀頃の西ヨーロッパでは、とある農法が発達しました。それが、農地を3分割して作物を栽培する「三圃制」という方法です。これは、土地を3つに分割し、それぞれを春耕地（春に種を蒔き秋に収穫）・秋耕地（秋に種を蒔き春に収穫）・休閑地（何も植えず土地を休ませる）に割り当て、1年毎に1つずつずらしていく手法です。従来までの方法に比べて休ませなければいけない土地の割合が減ったこと、休閑地で飼育した家畜の糞尿により土地の栄養が回復したことに加え、新たな農具の登場も追い風となり、農業生産性は大きく向上しました。

こうした変化もあって、西ヨーロッパの人口は飛躍的に増加しました。それに伴い、西ヨーロッパでは都市や商業が発達しはじめ、さらには外に出ていこうとする人々も増えるようになったのです。そんな対外的拡大の代表例こそ、冒頭で紹介した十字軍です。同時期に勢いをつけていたイスラーム勢力への対抗と称して始まったこの十字軍は、中世ヨーロッパを象徴する出来事として世界史に名を残しています。

十字軍とアジアの潮流が結びつき、ユーラシア大陸全体に及ぶ交易網が完成

一方、アジアでも同じ頃に農業生産が変化していました。この時代の中国では、それまで農業に利用されていなかった長江下流域で米などの穀物が生産されるようになりました。これを可能にした立役者の1つが、素早く熟し日照りにも強かった占城稲（チャンパー米）と呼ばれる新種です。これにより、中国では食糧生産が一気に安定感を増しました。

さらにこの後、ユーラシア大陸全体を席巻することになる一大勢力が出現します。それがモンゴルの遊牧民の一派です。彼らは中国から中央アジアまでを股にかけるモンゴル帝国を建設し、東は中国など東アジア、西はヨーロッパに至るまでの大交易網を構築しました。

ここでモンゴル帝国がヨーロッパまでをつなぐことができた理由は、モンゴルそのもののすごさだけではありません。まさにここで効いてくるのが、先ほど紹介した十字軍と、同時に起こっていた西洋の都市・商業の発達です。十字軍は、端的に言ってしまえば「たくさんの人がまとまった時期に長距離移動をしたイベント」でした。このようなイベントがあれば、人とともにさまざまなものも移動するのがつきものですよね。そして、このイベントの目的地はイスラーム勢力のいる地、つまり中央アジアとも接する西アジアだったのです。モンゴル帝国は、十字軍を中心とする流れによってすでに形成されつつあったルートを上手く利用したとも言えるでしょう。

こうして13世紀頃には、ユーラシア大陸一帯をつなぐルートが完成しました。

アジアの発展が再び西洋を引きつけた

その後、再びグローバルな規模で世界を結びつけるために一役買ったのは、またしても中国でした。中国では、農業用地が前回からさらに別の地域へと移り、今度は長江の中流域が稲作の中心として栄えました。

食糧生産の中心地が移動することによって、今までなら農業のために土地を使わなければいけなかった土地で、別のことをする余地が生まれます。前回時点では農業用地として栄えた長江下流域は、近世以降、よりお金になりやすい商品作物を栽培するために使われるようになりました。たとえば、綿織物の原料となる綿花や、絹織物の原料となる生糸を紡ぎ出すカイコのエサとしての桑などです。

こうして中国で商品作物やそれを使った工芸品などがたくさん作られるようになると、そうした物品を求めたヨーロッパ商人たちがやってくるようになりました。こうして、再び世界規模の交易網が発展することになったのです。

イギリスで始まった三圃制の「進化系」が産業革命を導く

もう1つ、世界史における農業生産の変化が有名な出来事につながったケースが存在します。それが、イギリスで起きた「農業革命」と、それによって起こった「産業革命」です。イギリスの産業革命とそれに続く話は次の第4章で詳しく扱うので、ここでは農業革命にフォーカスしてお伝えします。

農業革命とは、農業生産を効率化するためのさまざまな技術革新の総称です。特に重要なものの1つが、三圃制の進化系とも呼べる「ノーフォーク農法」の普及です。

イギリス東部のノーフォーク地方で始まったこの農法では、土地を4分割し、1年毎に大麦・クローバー・小麦・カブの順番で植え、4年かけて1周させます。土地の分け方が3分割から4分割になり、休閑地の代わりに家畜のエサとなるクローバーやカブを植えるようになったことで、三圃制に比べて農業生産性がさらに向上しました。

この新農法を後押ししたのが、「囲い込み」と呼ばれる土地改革です。この頃のイギリスでは、大地主が、村の人々で共用していた土地や小作人の土地を囲い込んで大農場を経営するようになりました。こうして効率的な生産体制が整ったことで、持続的な人口増加を支えられたのです。また、もともと小さな土地を経営していた小作人たちは、囲い込みによって土地を追い出されてしまい、農村から都市への移動を余儀なくされました。

このように、増加した人が都市部に集中したことで、イギリスで世界初の産業革命が準備されました。産業革命が起こるためには、工場で働く人手が大量に必要となります。イギリスでは、農業革命によって人手の条件がクリアできたわけですね。

さて、ここからはいよいよ東大の問題に対峙しながら、他の例についても具体的に見ていきます。農業生産の変化が歴史上どんな意味を持っていたのか、確認してみましょう。

演習編

問題（2007年）

古来、世界の大多数の地域で、農業は人間の生命維持のために基礎食糧を提供してきた。それゆえ、農業生産の変動は、人口の増減と密接に連動した。耕地の拡大、農法の改良、新作物の伝播などは、人口成長の前提をなすと同時に、やがて商品作物栽培や工業化を促し、分業発展と経済成長の原動力にもなった。しかしその反面、凶作による飢饉は、世界各地にたびたび危機をもたらした。

以上の論点をふまえて、ほぼ11世紀から19世紀までに生じた農業生産の変化とその意義を述べなさい。解答は17行（510字）以内で記入し、下記の8つの語句を必ず一回は用いたうえで、その語句の部分に下線を付しなさい。※1行は30字。

【指定語句】湖広熟すれば天下足る　アイルランド　トウモロコシ　農業革命　穀物法廃止　三圃

制　アンデス　占城稲

読解

時代が広範囲に渡るゆえ、メリハリをつけて検討すべし

今回の問題を見ると、今まで見てきた問題とは一味違うことがすぐに分かります。今回の主要求は、「ほぼ11世紀から19世紀までに生じた農業生産の変化とその意義」について考えることが求められています。対象となっている時期は、なんと「ほぼ11世紀から19世紀まで」。約900年間に及ぶ歴史を検討しなければなりません。これだけ長い期間について、網羅的に検討するのは不可能なので、ある程度メリハリをつけて考える必要があります。

そして、今回の問題の軸となるのが、「農業生産の変化とその意義」です。農業について考えるべきであることは講義編でもお伝えしましたね。そして、「変化」ときたら変化前・変化理由・変化後それぞれについて意識すべきなのはすでにお伝えしたとおりです。あと1つ重要なのが、「その意義」です。つまり、農業生産が約900年という長い時間の中で変化していったことを前提に、それが各時代でどんな意義を持っていたか、どんな影響をもたらしたのかについて考えることが求められています。

農業生産の変化がもたらしたもの

さて、非常に長い時代についてメリハリをつけて検討するためにも、リード文からヒントをもらいましょう。

1文目では、農業生産が人間の生命維持に不可欠であるということが語られます。だからこそ、農業生産が変化することと、人口の増減とが密接に連動しているわけですね。こうした農業生産の変化の例として次に挙げられているのが、「耕地の拡大、農法の改良、新作物の伝播など」です。

こうした農業生産は、①人口成長、②商品作物栽培や工業化、③分業発展と経済成長をそれぞれ促すことになりました。①の人口成長に結びついているという話はすでになされていましたね。あとは、②や③へのつながりを考えることになります。

そして、本問を読み解く核になるのが最後の1文、凶作による飢饉が世界各地にたびたびもたらしたという危機です。農業生産が人間の生命維持に不可欠である以上、その農業生産が飢饉によって止まってしまえば、たちまち人々が危機に立たされてしまうのは想像に難くありません。この飢饉によってもたらされた危機こそ、本問で指定される長い時代にメリハリをつける指標となります。

11世紀から19世紀までの世界は、2度の大きな危機に見舞われました。それが、14世紀の危機と17世紀の危機です。2つの危機の詳細はのちほどお伝えしますが、この2つの危機によって区分される3つの時期それぞれ（11～13世紀、15～16世紀、18～19世紀）について、①から③までの要素を検討すれば、長期に渡る時代をうまく整理して捉えることができるはずです。

この時、2度の危機と同じレベルで、世界規模で起こった事象がないかについて考えてみるとなお良いでしょう。「世界の大多数の地域で」「世界各地に」という文言からしても、農業が世界の幅広い地域で大きな影響を持っていたことが示唆されます。もちろん、この問題で、世界規模の事象について考えてみるこ

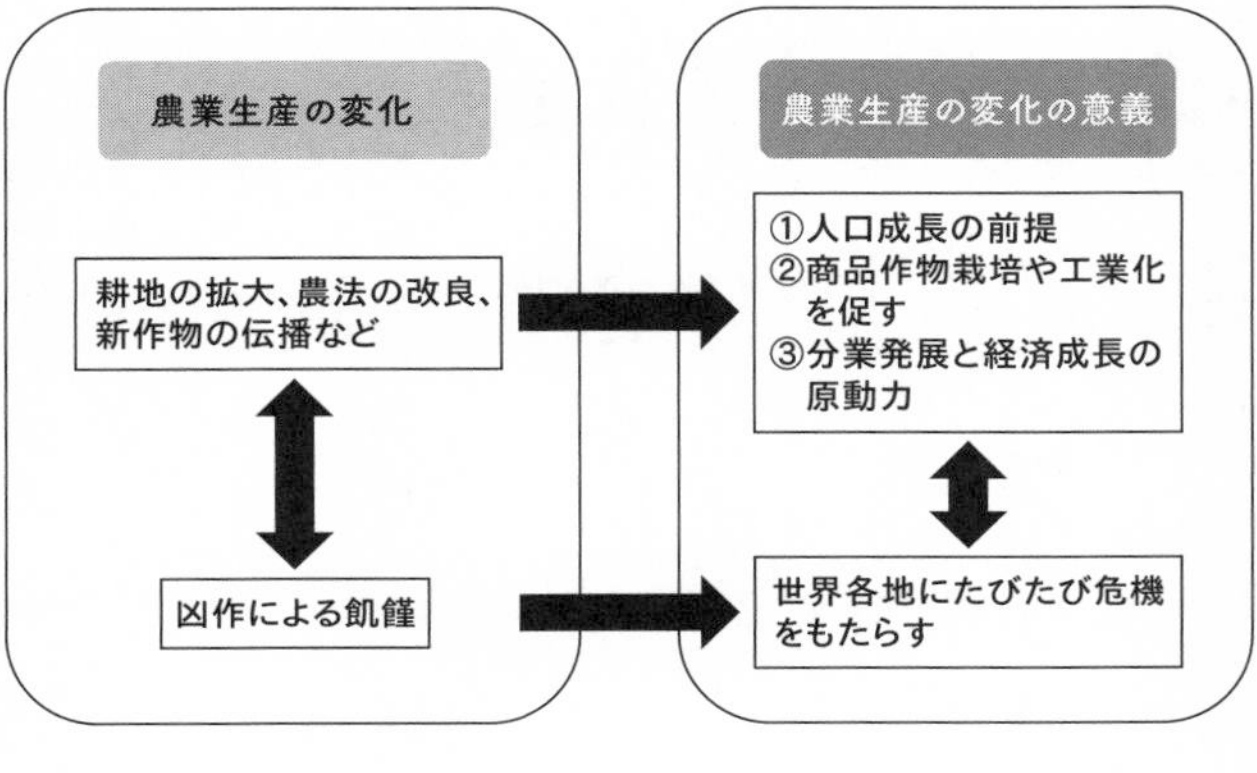

農業生産の変化

耕地の拡大、農法の改良、新作物の伝播など

⇕

凶作による飢饉

農業生産の変化の意義

①人口成長の前提
②商品作物栽培や工業化を促す
③分業発展と経済成長の原動力

⇕

世界各地にたびたび危機をもたらす

とは自明ではないのですが、今回は、あえてグローバルな視点からこの問題を検討してみます。これこそ、東大からの隠れたメッセージと言えるかもしれません。

解説

東アジアとヨーロッパ、それぞれの発展が農業を起点に結び付けられる

まずは第1の区分、11世紀から13世紀までの世界について見ていきましょう。

この頃の中国で起こった農業生産の変化は、占城稲と呼ばれる早稲種の導入や、農業技術の改良です。もともと中国でよく用いられていたのは、栽培を開始してから成熟までに4ヶ月ほどを要する晩稲だったと言われています。そこへ、チャンパー（現在のベトナム周辺）からやって来たのが占城稲です。これは、日照りに強く、しかも成熟までの期間を最大で2分の1ほど短縮できるとされる早稲種だったため、農業技術の改良と合わせ、米の生産能率が一気に向上しました。実際、この占城稲が普及した長江下流域は大穀倉地帯となっています。まさに、リード文にあった「新作物の伝播」の好例ですね。

そして、長江下流域という特定の地域が穀倉地帯として発展したことは、他地域における別の産業発展を促すことになりました。ここで注目されるのが、中国の特産品として歴史的に重要視されてきた陶磁器やお茶等の生産です。さらに、特産品の生産が盛んになったことで、これらを取り扱う交易が東アジアで展開されるようになります。

一方のヨーロッパでも、農業生産に大きな変化がありました。それが、三圃制や重量有輪犂(ゆうりんすき)の普及です。三圃制については、講義編でもお伝えしましたね。従来の二圃制などと呼ばれる手法に比べて土地を休ませる期間が短縮できるようになったこと、また重たい道具によって硬い土でも一気に掘り起こせるようになったことで、生産性が向上しました。

リード文の「耕地の拡大、農法の改良」に対応するこれらの変化によって、ヨーロッパでは、生産物が、自分たちのために取り分けてもなお余るようになってきました。そこで人々は、こうした余剰生産物を盛んに交換するようになり、それに伴って都市や商業が発達してきたのです。

東西を結ぶ大帝国・モンゴルが出現するも、14世紀の危機により一度リセット

こうして、農業生産の変化を契機として、11世紀以降はユーラシア大陸の東西それぞれで発展が見られるようになりました。これを大陸レベルで結びつけたのが、13世紀頃からユーラシアを席巻したモンゴル帝国です。遊牧民国家としてのルーツを持つモンゴル帝国は、東西の交易網や交通システムの整備を重視していました。そこで彼らは、ジャムチ（駅伝制）と呼ばれる宿場や物資・情報伝達用の人馬を整備して、交通網の整備を進めます。その結果、大陸全土をつなぐような広域の交流が実現することになりました。

しかし、ここで1度目の危機が訪れます。14世紀の危機です。この頃には、気候変動等の影響もあって世界各地で飢饉が起き、さらには致死率の高い感染症であるペストも流行したことで、多くの人の命が失われ、交流も寸断されました。せっかく築き上げられた広域交流のネットワークは、一度リセットされる形になってしまったのです。

世界規模の交易が復活するも、再びの危機によって停止される

続いて、第2の区分、15・16世紀の世界について見ていきます。

危機の後、中国では再び農業生産に変化の兆しが見られました。この頃の中国の状態を示す有名な言葉が、「湖広熟すれば天下足る」です。これは、中国における稲作の中心が、かつて栄えた長江下流域から中流域（湖広）へと移動し、「中国全土の食糧問題は、長江中流域の湖広が豊作か否かによって決まる」と言われるほどになったことを指しています。

では、もともと稲作をやっていた長江下流域では、代わりにどんなことがされるようになったのでしょうか？　それこそ、綿花や桑等の商品作物栽培であり、またそれらを原料にして綿織物や生糸等を生産する家内制手工業でした。リード文のうち、農業生産の変化が商品作物栽培や工業化を促した例に当たります。

こうして中国で盛んに生産された商品は、西欧諸国の目に非常に魅力的に映りました。こうして、この時期には、西欧諸国がアジアの交易網に参入するようになっていったのです。彼ら、特にスペインやポルトガルは、当時新たに発見されたアメリカ大陸で採れた銀を対価として、アジアの海洋交易に積極的に参入していきました。これこそまさに、大航海時代や大交易時代と呼ばれる時代の絶頂と言えるでしょう。

しかし、こうした繁栄も、17世紀の危機によって再び終わりへと向かうことになります。この時期には、ヨーロッパを中心に多くの地域がさまざまな困難に襲われました。代表的なのが、寒冷化による凶作、疫病の流行、アメリカ大陸からの銀の流入減少などです。農業生産があおりを受けたこともあって人口は激減し、豊かな交易は再びストップしました。

パクス・ブリタニカによって国際分業体制が確立する

最後に、こうした17世紀を乗り越えて訪れた18世紀以降の世界についてです。

まず、中国では、新大陸産のトウモロコシなど、人々の生命維持に資する新作物が流入してきたことで、これ以降の急速な人口増加が支えられることになりました。

また、イギリスでも農業革命が起こり、人口増加の前提が準備されました。農業革命が、三圃制をさらに効率的・持続的にしたノーフォーク農法の誕生や、「囲い込み」という土地改革に支えられたものだったこと、これによって多くの人口が都市へと流入していったことは、すでに講義編でご紹介しましたね。こうした事情を背景の1つとして、イギリスが世界で初めて実現したものこそ、産業革命です。

一方、当時のイギリスには懸念点もありました。それが、長年尾を引いていたアイルランドの問題です。アイルランドはイギリスに対してたびたび独立を求めた運動を行っていましたが、それがついに爆発する事件が起こりました。それが、19世紀半ばのアイルランドで発生したジャガイモ飢饉です。アンデス原産のジャガイモは、寒冷な土地でも育つ貴重な炭水化物として重視されていただけに、その凶作は、19世紀ヨーロッパ内でも最悪と評されるほどの大飢饉をもたらしました。この間、イギリスによる支援はごく一部にとどまったことから、アイルランドのイギリスに対する反感はますます強まることになっていきます。

さて、この頃のイギリスでは、もう1つの問題が盛んに議論されていました。それが、1815年に制定された穀物法の廃止に関する議論です。制定当初、イギリスは、地主や産業資本化を保護すべく、輸入されてくる穀物に高い関税をかける保護貿易政策を取ろうとしました。それが結実したものこそ、この穀物法です。しかし、19世紀半ば以降、自由貿易によって富を生み出したい産業資本家が穀物法に反対し、ついには反穀物法同盟なるものを結成するまでに至りました。このような流れの中でジャガイモ飢饉が起きたため、イギリスはついに穀物法廃止を決めたのです。

保護貿易政策の象徴だった穀物法の廃止は、すなわちイギリスの自由貿易政策への転換を意味します。こうしてイギリスは国際的な自由貿易に乗り出し、その強大な軍事力や経済力を背景として、イギリスを中心とする国際分業体制を形成していきます。こうしたイギリス中心の世界観は「パクス・ブリタニカ」と呼ばれました。次の第4章で詳しく説明するので、そちらも合わせてご覧ください。

いずれにせよ、農業生産の変化が人口増加のトリガーとなり、ひいては分業発展と経済成長等につながったと指摘できることが必要です。

ここまでの内容をまとめれば、解答は完成です。

◎第3章のまとめ（解答例）

11世紀頃の中国では**占城稲**の導入や技術改良で長江下流域が大穀倉地帯となり、他地域での陶磁器や茶等の特産品生産が促され、これらを扱う交易が東アジアで展開した。西欧では**三圃制**や重量有輪犂の普及で生産力が上昇して余剰生産物の交換が活発になり、都市、商業が発達し始めた。そして、モンゴル帝国下でこれら各地の交易網が結びつけられ、広域交流が実現した。しかし、14世紀に各地で飢饉が起き、交流は寸断された。その後、中国では「**湖広熟すれば天下足る**」の通り、長江中流域が稲作の中心となり、長江下流域での綿花や桑等の商品作物栽培、綿織物や生糸等を生産する家内制手工業の発展が支えられた。こうした商品を求め、西欧諸国はアジアの交易網に参入し、銀を媒介とする世界規模の交易が実現した。しかし、17世紀に各地で再び飢饉が起き、交易は停止される。その後、中国では新大陸産の**トウモロコシ**等の広がりが人口急増を支えた。イギリスでは**農業革命**により、土地を失った多くの農民の都市への流入等を背景に産業革命が実現した。そして、**アイルランド**での**アン**

デス原産のジャガイモの不作が**穀物法廃止**に繋がり、自由貿易政策が開始されてイギリスを中心とする国際分業体制が成立した。

〈参考文献〉

- **岡本隆司『明代とは何か 「危機」の世界史と東アジア』**（名古屋大学出版会、2022年）

中国研究の第一人者である筆者による、東アジア史の転機ともなった明代に着目して東アジアの歴史を考える1冊です。明王朝が成立してから滅亡するまでの間に、国内の体制がどのように整えられていったか、対外関係がどのように形成されていったかなどについて、専門的に学ぶことができます。

- **岡本隆司編『中国経済史』**（名古屋大学出版会、2013年）

古代から現代に至る中国経済の歴史的展開について、1冊でまとめた貴重な書籍です。本格的な研究書のため、初学者にはやや難しいかもしれませんが、これを読めば、現代の中国の理解にも資する深い理解が得られるでしょう。

- **松丸道雄、池田温、斯波義信、神田信夫、濱下武志編『世界歴史大系 中国史3 五代～元』**（山川

出版社、1997年）

教科書をさらに深く広く掘り下げたようなシリーズである「世界歴史大系」の中国史3巻目にあたる書籍です。3巻では、おおむね10世紀から14世紀までの中国史が扱われています。本問との関係では、モンゴル帝国が東西を結ぶ大帝国を築くに至った背景や、それと農業との関連についてより深く学ぶのに役立ちます。

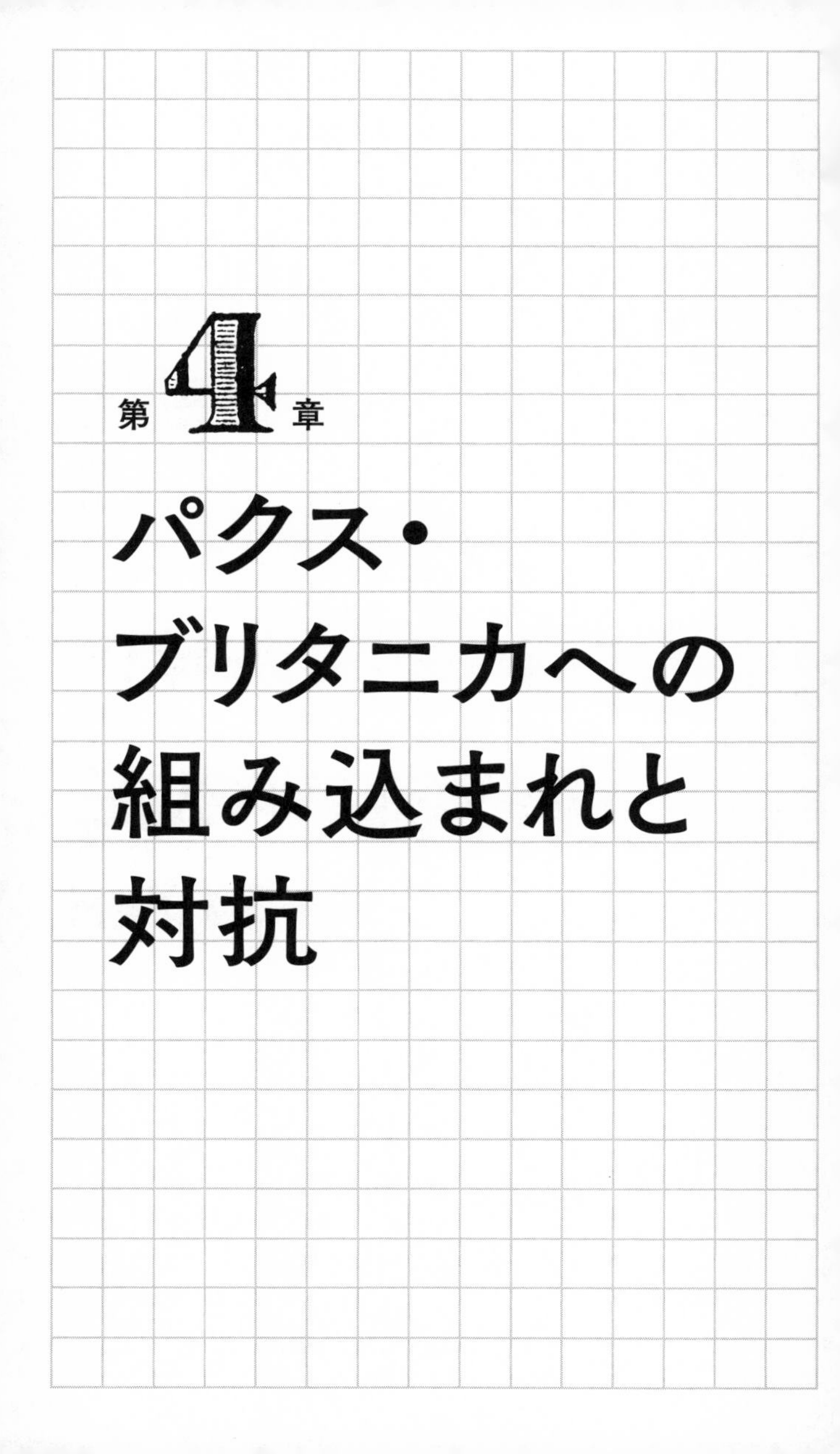

第4章

パクス・ブリタニカへの組み込まれと対抗

講義編

世界のトップに立ったイギリスがもたらした「平和」

本章では、19世紀の世界について理解するうえで絶対に外せない重要テーマ、「パクス・ブリタニカ」を扱います。まず、そもそもパクス・ブリタニカとは何かを復習するとしましょう。

パクスは平和を、ブリタニカはイギリスを指します。そして、パクス・ブリタニカという言葉は、かつて存在した「パクス・ロマーナ」になぞらえて作られました。第1章で扱ったとおり、紀元前1世紀末からの約200年間、古代ローマ帝国はヨーロッパの広大な範囲を軍事的に支配し、ヨーロッパに平和をもたらしました。これが「ローマによる平和」、パクス・ロマーナです。

つまり、パクス・ブリタニカも、19世紀にイギリスが世界全土にわたる広大な地域を支配したことで訪れた国際的な平和のことを指します。

ライバルに勝利したイギリスが、覇権国家への道を歩みはじめる

では、なぜイギリスは単独トップに立ち、世界中を支配することができたのでしょうか？そのキーワードは、「ライバルへの勝利」と「産業革命」です。

トップに立つために、まずはライバルを押しのけないといけませんよね。18世紀ごろのイギリスは、ライバルたちと激戦を交わし、きっちり勝利を収めていったことで、単独トップへの道を切り開いていきました。

第一のライバルであり、「支配者のパイオニア」的な存在がオランダです。今でこそ「大国」としての印象が薄めなオランダですが、17世紀から18世紀にかけては世界のトップたる「覇権国家」として名をはせていました。当時のオランダは、ヨーロッパで大人気だった香辛料などのアジア産品を運ぶ海上貿易の大部分を独占して儲けたのです。

このオランダに対抗しようと、イギリスは3度にわたって戦い、最終的にイギリスが有利な状態に持っていきました。イギリスは、香辛料の産地だった東南アジアを獲得することこそ失敗しますが、オランダの勢いをそぐことには成功しました。

続いて出てきたライバルがフランスです。イギリスとフランスは、オランダを失った世界で激しい首位争いを繰り広げました。海を挟んでお隣さん同士の両国には14世紀ごろからの長い因縁があり、数百年の時を経て再びぶつかり合っていたのです。

この時の戦いは、インドやアメリカ大陸など、ヨーロッパ以外の土地が主戦場となったのが特徴です。当時は、イギリスもフランスも、世界中に領土を拡大しようと各地に進出していました。こうして狙いを同じくした両者は、行く先々で衝突したわけです。この衝突は、実に約100年にも及びました。

イギリスは、このフランスとの長い戦いにも勝利します。これで、2つのライバルに勝利したイギリスが単独トップとなる準備が整いました。

イギリスの勝因は「カネ」と「軍事」にあり

オランダもフランスも、どちらも強敵だったのは間違いありません。では、イギリスはなぜ彼らに勝てたのでしょうか?

その要因として大きいのが、「カネ」と「軍事」です。

何をするにもお金がないと始まらないのは、今も昔も変わりません。当時のイギリスも、富国強兵を進めるためにとにかくお金を必要としていました。しかし、お金が空から降ってくるわけはありませんよね。

そこでイギリスが考え出したのが、当時まだ浸透していなかった「国債」を使う方法です。

国債とは、簡単に言えば、国家がお金を借りたい時に作る借用書（債券）のことです。この債券を買ってくれる人がいると、その購入代金は一時的に国家の財布に入ります。借金ですから、当然いつかは返さないといけませんが、国債を発行して買い手を見つけさえすれば、返すまではお金をたくさん集めることができるのです。イギリスは、天から降ってこずとも、自分でお金を「生み出す」術を思いついてしまったわけですね。

この仕組みを支えたのが、設立されて間もなかったイングランド銀行と、ロンドンの金融市場でした。イングランド銀行は、国家の金回りを担う中央銀行で、今の日本でいう日銀のようなものです。まず、イングランド銀行が、イギリス政府（国家）の発行した国債を率先して引き受けます。次いで、その国債がロンドンの金融市場で人々によって購入されることで、国家はめでたく国債の買い手を見つけることができます。しかも国債は、普通の人がする借金に比べて信用が高いため、人々にもよく売れました。私たちがもし「どうしてもお金を貸してくれ」と頼まれたら、当然、いつ返してくれるかわからない人よりも、安定した収入があって返す見込みのありそうな人に貸したくなりますよね。国債もそれと同じで、税金などによって収入が安定していたイギリス政府の発行した国債は、かなり信頼され、買われていたのです。

こうして「カネ」を手に入れたイギリスは、そのカネを「軍事」の増強に振り向けます。その結果、イギリスは当時ヨーロッパ最強とも言われるほどの海軍を手に入れました。最強の海軍の活躍もあって、ライバルたちとの戦いに勝利できたのです。

イギリスを押し上げたのは3つの「革命」

ライバルなき後のイギリスをもう一段階飛躍させたのが、「産業革命」です。産業革命とは、技術革新が一気に進み、農業に代わって商業や工業が社会の中心となっていったことを言います。そして実は、世界初の産業革命が起こった国こそイギリスなのです。

では、なぜイギリスは、ほかのどの国よりも早く産業革命を達成できたのでしょうか?

1つのカギとなるのが、ライバルたちを倒して手に入れた広大な植民地です。イギリスは、フランスとの戦いで、アメリカ大陸の大半や現在のインド近辺、さらにはアフリカの一部も手に入れました。こうして得た植民地と本国イギリスとの間で盛んに貿易を行ったことで、イギリスにモノとカネが貯まっていき、輸出のための産業も成長しはじめました。こうして、産業革命を進める原動力が手に入ったのです。

もう1つ重要なのが、農業革命とエネルギー革命です。

農業革命とは、革新的な農業のやり方の発明により、農業生産性が一気に高まったことを指します。これにより、より多くの人を養うために必要な食事を十分に生産できるようになったイギリスでは、貴重な労働力となる人口が増加するための準備が整いました。

そして、エネルギー革命とは、使われる燃料の種類が変わったことを指します。もともとイギリスなど多くの国では、森林を伐採して手に入れた木材を炭にした木炭を使っていました。しかし、森林伐採を続けていると、いつか木炭のもととなる木材は枯渇してしまいますよね。

こうした中、木炭に代わって登場したのが石炭です。実は、当時石炭はすでに発見されていましたが、技術的な問題によりあまり使われていませんでした。しかし、イギリスのとある親子が革新的な製鉄法を発明したことで、石炭を使っても丈夫な鉄を作ることができるようになったのです。こうして、石炭を燃料として使用できるようになったイギリスでは、「産業のコメ」ともいわれる鉄の生産がぐっと安定することになりました。

こうして、ほかの国ではまだ起きていなかったさまざまな革命が同時並行で起きたことで、イギリスは世界初の産業革命を成し遂げることができたのです。

こうして、ヨーロッパ最強の海軍と広大な植民地を有したイギリスは、「世界の工場」と呼ばれるほどの工業国となりました。このイギリスが世界中を組み込むことで生まれた平和こそ、最初に確認した「パクス・ブリタニカ」なのです。

イギリスへの対応を迫られた世界各国

イギリス以外の地域は、覇権国家として君臨したイギリスのインパクトへの対応を迫られました。ここでどんな対応を取れたかが、その後の歴史を大きく左右することになるのです。

各国の対応策は、大きく2パターンに分けることができます。1つは、自分たちもイギリスのような工業力を手に入れて、工業製品の生産を始めようとするパターンです。すでに最低限の工業力を持っていた国は、「このまま黙っていると、イギリスから一方的にモノを売りつけられる客に成り下がってしまう」と考えて、イギリスに続いて産業革命を起こそうとしました。こうした対応を取れたのは、もともとそれなりに発展していたヨーロッパ諸国や、ヨーロッパを必死で追いかけようとした日本などです。

もう1つが、イギリスから工業製品を買い、代わりにその原材料や農産物などをイギリスに売るというパターンです。これを選んだのが、アジアやアフリカ、南米の大部分の国です。これらの国も、本当は産業革命を起こしてイギリスに追いつけるのが理想でした。しかし、もともとの工業力があまりなかったり、イギリスの植民地として強力に押さえつけられたりしていた各国は、このパターンを「選ばざるを得なかった」のです。弱い立場を強いられた彼らの中には、「このままではだめだ」と直接的な抵抗を選ぶ人々も現れました。

こうして、イギリスを頂点に、ヨーロッパ等の後発的な国、それ以外の地域と続く序列からなる、資本主義的な世界システムが確立しました。お互いがグローバルな規模で分業しつつ、上のものが下のものを支配する構図ができあがったのです。

今回の問題では、まさにこうした世界各国の対応、そしてそれによって分かれた明暗について問われています。それでは問題を解いていきましょう。

演習編

問題（2008年）

1871年から73年にかけて、岩倉具視を特命全権大使とする日本政府の使節団は、合衆国とヨーロッパ諸国を歴訪し、アジアの海港都市に寄航しながら帰国した。その記録『米欧回覧実記』のうち、イギリスにあてられた巻は、「この連邦王国の……形勢、位置、広狭、および人口はほとんどわが邦と相比較す。ゆえにこの国の人は、日本を東洋の英国と言う。しかれども営業力をもって論ずれば、隔たりもはなはだし」と述べている。その帰路、アジア各地の人々の状態をみた著者は、「ここに感慨すること少なからず」と記している。（引用は久米邦武『米欧回覧実記』による。現代的表記に改めた所もある。）

世界の諸地域はこのころ重要な転機にあった。世界史が大きなうねりをみせた1850年ころから70年代までの間に、日本をふくむ諸地域がどのようにパクス・ブリタニカに組み込まれ、また対抗したのかについて18行（540字）以内で論述しなさい。その際に、以下の9

つの語句を必ず一度は用い、その語句に下線を付しなさい。※1行は30字。

【指定語句】 インド大反乱　クリミア戦争　江華島事件　総理衙門　第1回万国博覧会　日米修好通商条約　ビスマルク　ミドハト憲法　綿花プランテーション

読解

「きっかけ」となったパクス・ブリタニカ

イギリスが世界のトップに立ち、それによってパクス・ブリタニカ、すなわち世界的な平和がもたらされたことは確認しましたね。ここからは、具体的に問題を見ていきます。

まず、第1段落は一旦飛ばして、第2段落を見てみましょう。その冒頭は、「世界の諸地域はこのころ重要な転機にあった」です。

「このころ」とは、第1段落冒頭の「1871年から73年にかけて」、つまり、明治維新の立役者の1人である政治家、岩倉具視を中心とした日本の使節団（岩倉使節団）が、世界各国を訪問した時期を指します。この時期は、パクス・ブリタニカがまさに絶頂を迎えた時期と一致しています。

19世紀の半ばから後半にかけてのこの時期、まさに世界は「重要な転機」にありました。講義編でも、トップに立ったイギリスが及ぼしてきたインパクトに対して、各国が対応を強いられたと説明しましたね。パクス・ブリタニカに組み込まれたり対抗したりしたことは、新たな状態に変わるきっかけだったのです。

『米欧回覧実記』が引用された意味

ここまで分かったら、第1段落に戻りましょう。ここでは、岩倉使節団が見てきたことについてまとめた報告書、『米欧回覧実記』が一部引用されています。ここで、「世界史の勉強だったはずなのに、なぜ日本史の話が出てくるんだ。こんなもの意味がない」と思わないでください。せっかく東大が用意した導入には、世界史を捉え直す鍵があるはずです。

岩倉使節団は、欧米諸国の制度などについて調査することなどを目的として派遣されました。明治期の日本は、世界の強国たちについて学び、いいところを積極的に取り入れていこうとしたわけですね。1871年に日本を出発した彼らは、まずアメリカ合衆国を訪問し、その後イギリスを含むヨーロッパ諸国を訪れます。

各国を回った日本ですが、中でも特に意識した国の1つがイギリスでした。日本は、面積や人口等がほとんど同じであることから、「東洋の英国」と言われていたのです。しかし、世界トップのイギリスと、これからいよいよ成長していこうとする途上の日本とでは雲泥の差がありました。特に、イギリスが世界に誇っていた強大な経済力・軍事力に関しては言うまでもありません。これが、問題文でも引用されている『米欧回覧実記』のイギリスに関する内容です。

さて、岩倉使節団が訪れたのは、欧米だけではありませんでした。帰国する途中、「アジアの開港都市に寄航」していたのです。そこでアジア各地の状態を見た著者は、「ここに感慨すること少なからず」と記しています。これは、「アジア各国もなかなかよく頑張っているな、感動だ」という意味ではありません。むしろ、「先進的で強烈なインパクトがあった欧米に比べて、アジアはひどい状況にあった」くらいの意味でしょう。欧米諸国は「歴訪」したとあるのに対し、アジアは「寄航」したに留まるという表現の違いからもそう推測できます。

では、なぜアジアはそんなひどい状況に置かれていたのでしょうか。これは、講義編で解説した内容がヒントになります。アジアやアフリカなどの各国は、産業革命を起こせず、他国の植民地として抑圧されていたのでしたね。これこそまさに、パクス・ブリタニカをきっかけとして生じた状況です。

こうして見ると、一見関係なさそうだった『米欧回覧実記』も、問題を考える上で重要なヒントになっていることが分かるはずです。

イギリスに組み込まれたり対抗したりした「諸地域」とは?

最後に、転機を迎え、イギリスに組み込まれたり対抗したりした「世界の諸地域」とはどこなのか、確定させておきましょう。前述のとおり、産業革命を起こせず「ここに感慨すること少なからず」な状況になっていたアジアがこれに含まれるのは前提とします。

その上で、「諸地域」にイギリス以外の欧米諸国は含めないという考え方が一応ありえます。欧米諸国は、岩倉使節団を送った当時の日本にとってすでに憧れの的、「歴訪」の対象であり、十分発展していたわけです。とすると、すでにある程度余裕があった欧米諸国が、イギリスに「組み込まれ、また対抗した」と言えるのかと疑問に思ってもおかしくはありません。

しかし、講義編をお読みになった方ならお分かりのとおり、イギリスは「世界初の産業革命が起こった国」であり、かつ、19世紀半ばには「世界の工場」として単独トップに君臨した国です。つまり、それ以外の欧米諸国は、どれだけ栄えていたとしてもイギリスの背中を追いかける存在であり、一時期は「工場」たるイギリスのお客さんとも言える状況に成り下がりつつあったと言えるわけです。すると、欧米諸国も、一度はイギリスに組み込まれ、その後イギリスに追いつくべく対抗したと言えるわけで、まさに「組み込まれ、対抗した」と言えそうですよね。

ということでここからは、欧米諸国・日本・日本以外のアジアという諸地域がイギリスにどのように組み込まれ、また対抗していったかについて検討することにします。ここで、「転機」というくらいですから、世界各地がその後どのような姿へと変わったのかについても意識することにしましょう。

解説

「世界の工場」に組み込まれた世界の諸地域

まず、パクス・ブリタニカへの「組み込まれ」です。講義編でも紹介したとおり、産業革命を経て「世界の工場」となったイギリスは、世界の諸地域を自国製品の市場とその原料供給地として組み込みました（山川・新p255、実教p225）。こうして世界は、工業製品を作るイギリスと、地域的な特徴などに合わせた原料を生産する各地とに分かれたのです。こうして、世界規模で確立した分業のことを「国際分業体制」といいます。また、イギリスをはじめとする西欧列強に多額の借金をしてしまったことなどにより、財政的にイギリスの影響下に置かれた国もあります。

各種教科書に掲載されているこの図を見ると、イギリスを中心とした世界の一体化が進んでいることがよく分かりますね。

「対抗」には2パターン存在する

こうしてイギリスに一度組み込まれた世界の諸地域は、イ

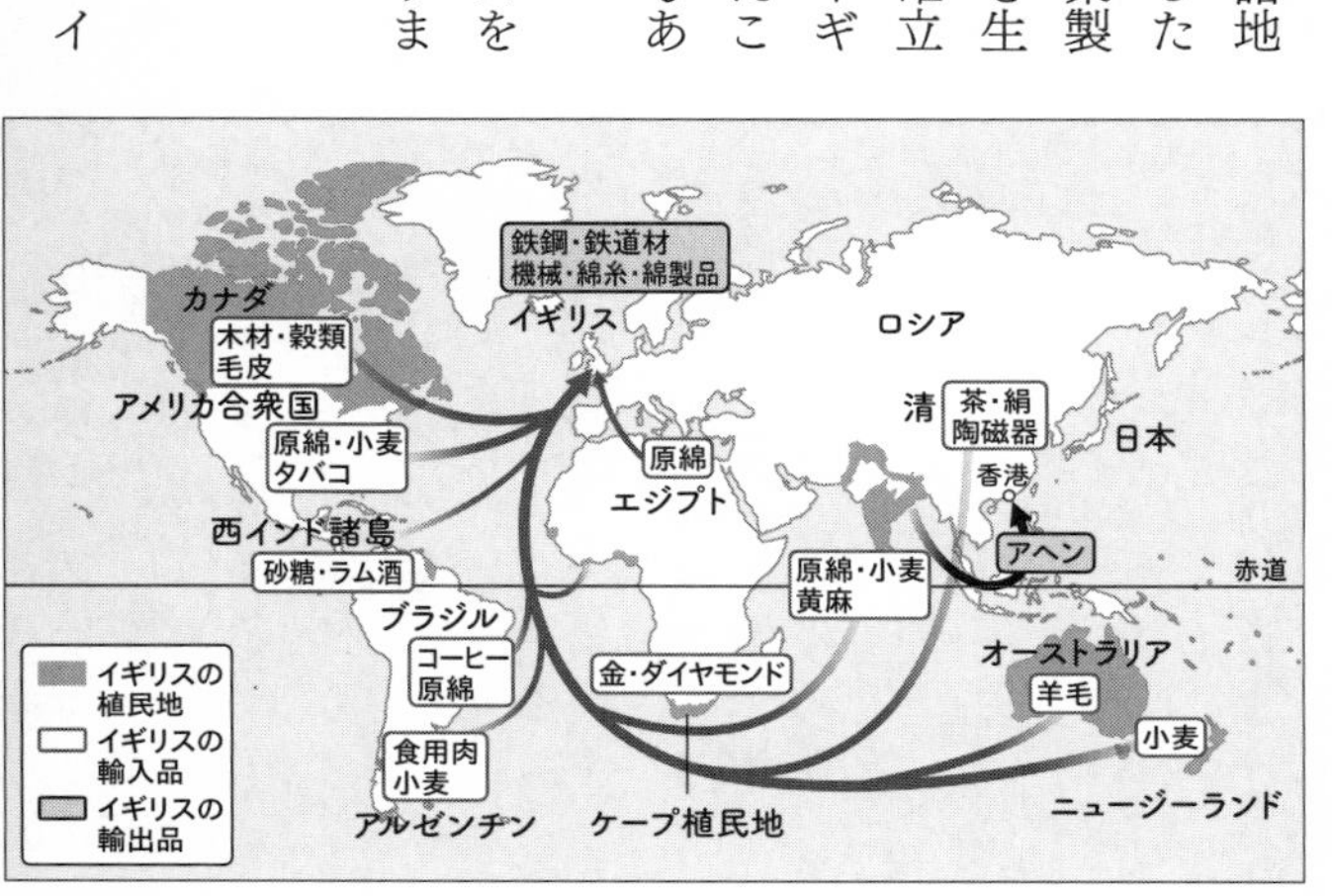

ギリスに対抗すべく策を練りました。ただ、ここでの対応に大きく2つのパターンが存在することは、講義編でもお伝えしたとおりです。

1つは、イギリスに続いて産業革命を達成し、「後発資本主義国」と言われる立場につくことができた場合です。こうした国々では、イギリスの影響力に飲み込まれないためにも、一刻も早く工業化を達成する必要がありました。そこで、多くの国では、政府がトップダウンで産業を育成するための政策を打ち出しました。イギリスは、国が主導せずとも自発的に工業が発展していったのですが、他の国に「自発的」を待つ余裕はなかったのです。

もう1つが、どんどん発展していく資本主義国の製品市場や原料供給地として後れを取ることになってしまった場合です。こうした国々の中には、政府が主導して近代化を推し進めようとしたり、軍事反乱などの暴力的手段によって直接「抵抗」しようとした国が多くあります。

しかし、こうした抵抗が直ちに状況を変えることはありませんでした。近代化を目指した国では、国内の事情なども合わさって改革が不徹底となり、後発資本主義国のような「成功」には至らなかったのです。直接的な抵抗も、なにせ相手は当時最強のイギリス。アジア諸地域による対抗は、その目的を果たせませんでした。

このように、イギリス、パクス・ブリタニカへの対抗に成功したか否かによって、その地域の運命は分かれることになりました。まさに、パクス・ブリタニカへの組み込みと対抗が世界の諸地域にとって「重要な転機」であると分かるでしょう。この時代に起きたヨーロッパとアジアの関係性の変化は「大分岐」とも呼ばれます（実教p225）。

以上の議論を図にすると下のようになります。

イギリスを追いかけ成功した後発資本主義国

ここからは、それぞれの国が具体的にどのような「対抗」を行ったかについて見ていきましょう。まず、第1のパターンの代表例となるのが、ドイツ・アメリカ・ロシア・日本です。

【ドイツ】

まずドイツは、ビスマルクのもとで軍国化・工業化を進めました。1

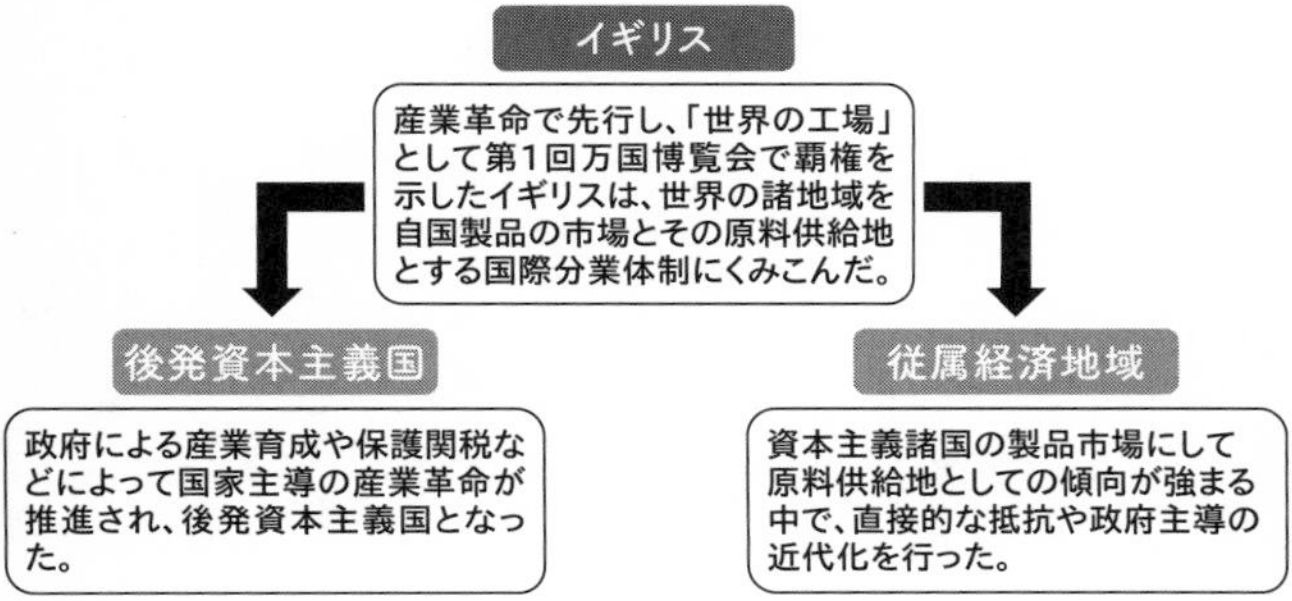

イギリス

産業革命で先行し、「世界の工場」として第1回万国博覧会で覇権を示したイギリスは、世界の諸地域を自国製品の市場とその原料供給地とする国際分業体制にくみこんだ。

後発資本主義国

政府による産業育成や保護関税などによって国家主導の産業革命が推進され、後発資本主義国となった。

従属経済地域

資本主義諸国の製品市場にして原料供給地としての傾向が強まる中で、直接的な抵抗や政府主導の近代化を行った。

862年にプロイセン首相に就任した彼は、武器を表す鉄と兵士を表す血による「鉄血政策」、つまり軍備増強のための政策を進め、対外戦争を経てドイツ帝国を成立させました。さらに1879年には保護関税法を制定し、外国から入ってくる工業品に高い関税をかけて国内産業を保護・育成する方針をとっています。

【アメリカ】

アメリカの場合は、南北戦争が鍵となります。もちろん、アメリカがイギリスに直接「対抗」しようとして南北戦争を起こしたとは言えないでしょう。しかし結果として、この戦争によって国内統合が進んだアメリカでは、もともと工業化を進めていた北部主導での産業革命がさらに進展することになります。イギリスへの農産物輸出による経済発展を目論んでいた（イギリスに「組み込まれ」つつあった）南部に、工業化による独立した経済発展を目指す北部が勝利したことが重要です。

【ロシア】

ロシアは、クリミア戦争に敗北したことでようやく目覚めます。ここでオスマン帝国・イギリス・フランスの連合軍に敗れたロシアは、古い体制や軍備が残っていたことが敗因だと考えました。そこで、アレクサンドル2世は農奴解放令を出し、土地に縛られ領主の元で働かされる農奴と呼ばれる人々を解放しようとしたのです。この改革は、土地制度改革としては不徹底に終わりましたが、それでも、これを機にロシアでも近代化が始まり、産業革命への準備も進むことになります。ちなみに、ロシアが当時進めていた対外政策については、次の第5章で詳しく説明します。

【日本】

後発資本主義国の例の最後は日本です。日本はまず、かの有名なペリー来航により日米和親条約を結んだ4年後の1858年に、アメリカと日米修好通商条約を締結しました。そしてその後、オランダ、ロシア、フランス、そしてイギリスとも同様の修好通商条約を結びました。治外法権などを認めた不平等条約によってイギリスとも本格的に貿易することになった日本は、パクス・ブリタニカに組み込まれたと言えます。

対抗として挙げられるのが、殖産興業政策です。明治維新で体制を新たにした日本は、富国強兵の一環として殖産興業を実施し、官営工場を建設したり、交通・通信などのインフラや貨幣・銀行などの金融制度を整備したりするなど、近代的産業の育成を目指しました。
そして、もう1つ欠かせないのが、指定語句の「江華島事件」です。この事件は、朝鮮半島中部西岸に位置する江華島に日本の軍艦が接近し、朝鮮軍がこれを砲撃したことで始まりました。これに応戦し勝利した日本は、この事件の責任を朝鮮側に押し付けて、不平等条約である日朝修好条規の締結を迫ります。こうして朝鮮を日本の影響下に置き、独立国としての立場を堅持しようとしたことも、一種の「対抗」と捉えてよいでしょう。

イギリスに上手く対抗しきれなかった商品市場・原料供給地

第2のパターン、つまり直接的な抵抗や政府主導の近代化をした代表例が、インド、中国(清朝)、そしてオスマン帝国です。先程も少し述べたとおり、これらの国々による「対抗」はいずれも失敗し、イギリスなどの国が作った商品を輸入する市場や、工業製品の原料となる農作物などを作って輸出する供給地としての性格がさらに強まることとなりました。

【インド】

インドは、かつてはイギリスに綿織物を輸出する側でした。インド産綿布はキャラコと呼ばれ、その丈夫さや肌触りの良さなどから評判だったのです。しかし、イギリスが機械製の安価な綿布を生産するようになると、インド産綿布は価格競争に破れ、インドは輸入する側になってしまいました。こうして製品市場として組み込まれたインドで、イギリス東インド会社による支配への反発として起きたのがインド大反乱です。この反乱はインド全土に広がる大規模なものとなりましたが、やがて鎮圧されてしまいました。

さらに、南北戦争のころからは、イギリス向け綿花の生産・輸出も増加していきます。これは、もともとイギリスは材料の綿花をアメリカから輸入していたところ、南北戦争でこれがストップしてしまい、この穴を埋めるべくイギリスがインドに目をつけたからです。

【中国（清朝）】

中国の清朝は、アヘン戦争とアロー戦争でイギリスに敗北し、外交や財政でイギリスの影響を大きく受けることになりました。これに対する対抗としてまず考えられるのが「総理衙門」の設置です。総理衙門とは、諸外国との外交に関する事務を担う中央機関で、もともと外国と対等に渡り合うという発想がなかった中国にとっては、イギリス等との協調を模索する1つの手段でした。

さらにこの時期には、洋務運動と呼ばれる動きによって中国は近代化を試みます。しかし、この運動は不徹底に終わりました。なぜなら、この運動が、「思想的中心はあくまで中国の伝統思想であり、西洋思想は技術として受け入れるだけだ」という、振り切れていない理念によって支えられていたからです。なお、中国を中心とする東アジア全体が西欧各国の影響を受けて変化していく過程については、第6章で扱います。

【オスマン帝国】

そしてオスマン帝国は、イギリス・フランスと共に戦ったクリミア戦争を機に、イギリスの影響下に置かれていきました。オスマン帝国はここでロシアに勝利したものの、この間に行われたタンジマートという改革に必要な費用や戦争のための費用を外債（自国の外で発行された債券）に頼っていました。これによってオスマン帝国は、経済的にイギリスに依存していくことになります。

こうした状態に危機感を覚えたオスマン帝国内では、イギリスら列強に対抗すべく、近代化を押し進めようとする動きが起こりました。その1つが、アジア初の近代的憲法と言われるミドハト憲法の制定です。しかしこの憲法は、2年後にはすぐに停止されてしまいます。ここでも近代化はうまく進まないまま終わりました。

【その他】

他にも、対抗を試みたものの結局組み込まれたままとなった地域として、アイルランドやタイ、メキシコ以南のラテンアメリカ諸国などが考えられます。

アイルランドは19世紀初頭にイギリスに併合され、イギリス本国の大規模な地主等による支配下に置かれました。こうしてアイルランドでイギリスへの不満が高まる中、1845年には、ジャガイモ飢饉と呼ばれる大飢饉がアイルランドで起こり、多くの死者を出すことになりました。これが引き金となり、アイルランドではイギリスからの独立運動が激化していきます。

タイは、日本が結んだのと同様の不平等条約をイギリスと締結させられ、貿易を通して国際分業体制に組み込まれました。しかし、東南アジアの国としては珍しく、タイはこの後も長きにわたって独立を維持しています。これは、当時の国王ラーマ5世の行った改革の功績が大きいと言われています。

エジプトは、急速に近代化を進めようとしたことや、オスマン帝国と戦争したことなどにより、短期間で一気に支出がかさみ、海外に莫大な債務をかかえこむことになりました。1870年代からは英仏の財務管理下におかれ、さらには内政にも口を出されるようになっていきます。フランスと共同出資して完成させたスエズ運河も、財政難を脱するためにその株式を売却することになり、イギリスにその大半を買収されています。

ラテンアメリカでは、19世紀初頭から多くの国が独立しました。この独立運動を中心的に担ったのが、クリオーリョと呼ばれる現地生まれの白人です。大地主層の多かった彼らは、イギリスなどに原料や食料を輸出して工業製品を輸入する自由貿易を推進しました。こうしてラテンアメリカ諸国もパクス・ブリタニカに組み込まれていきます。その中でメキシコは、メキシコによる外債支払停止を口実として出兵してきたスペイン・フランス・イギリスを追い返し、大統領のファレスのもとで改革を実現しています。その意味では、メキシコはある程度対抗に成功しているとも言えるでしょう。

そして、こちらが今回の答案例となります。今回は、字数の都合上、指定語句と対応するインド・清朝・オスマン帝国についてのみ言及しました。他の国について書くことも十分可能なので、自分なりに検討してみてください。

◎第4章のまとめ（解答例）

産業革命で先行し、「世界の工場」として**第1回万国博覧会**で覇権を示したイギリスは諸地域を自国製品の市場と原料供給地とする国際分業体制に組み込んだ。これに対する諸地域の対抗はその帰結から大きく二つに分類できる。第一に、国家主導の産業革命を推進し、後発資本主義国となっていく場合である。ドイツは**ビスマルク**の下で保護関税政策をとり、工業化を進めた。南部がイギリス向け**綿花プランテーション**地域であったアメリカは南北戦争による国内市場統一を契機に産業革命を本格化させた。ロシアは**クリミア戦争**敗北を契機に農奴解放令を出し、工業化への道を開いた。**日米修好通商条約**と同様の条約をイギリスと結んだ日本は**江華島事件**後の日朝修好条規締結によって朝鮮を影響下に置こうとしつつ、殖産興業政策を行った。第二に、直接的な抵抗や政府主導の近代化等を行うも、イギリス等資本主義諸国の製品市場・原料供給地としての傾向が強まっていく場合である。イギリスの綿布市場・綿花等供給地のインドでは**インド大反乱**が起こった。清朝は**総理衙門**を設置してイギリス等列強との協調を模索しつつ、洋務運動で近代化を試みた。オスマン帝国はイギリスの経済的影響下に置かれる中、**ミドハト憲法**の発布等近代化を試みた。ただし、第二の対抗は失敗に終わった。

〈参考文献〉

●長谷川貴彦『産業革命』（山川出版社〔世界史リブレット〕、2012）

産業革命がなぜイギリスで最初に起こったのか、人びとの生活にどのような影響を与えたのかなどについて、簡潔に、かつ教科書よりも詳しく解説している本。世界史リブレットシリーズはページ数が少ないので、手軽に読める（本書も100ページ以内）。

第5章

ロシアの対外政策がユーラシアにもたらした変化

講義編

ロシアの対外的拡大は今も昔も起こっている

ロシアによるウクライナ侵攻が始まってから、実に1年以上が経過しました。今でもウクライナの惨状に関するニュースは絶えず、私たちの日々の生活への影響も続いています。ロシアの真の思惑についてはさまざまな議論があり、唯一の答えはないでしょう。それでも、現にロシアが周辺地域へと勢力を拡大しようとしているのは事実です。

そして、こうした対外的拡大は今に始まったことではなく、歴史上も繰り返し行われてきました。その代表例が「南下政策」と呼ばれるものです。今回扱うのは、そんなロシアの対外的拡大が世界にどんな影響を与えてきたのかを考える問題です。

凍らない港を求め続けてきたロシア

ロシアと聞いて、皆さんはどんなことを想像するでしょうか。国土面積が世界一なのは有名ですね。それ以外にも特徴はたくさんありますが、1つ重要なのは「緯度が高くて寒い」ということです。

「なんだ、寒いってだけか」と思うなかれ。これが、特に歴史上は重大な問題だったのです。寒いということは、冬に港が凍ってしまうことを意味します。そして、港が凍ってしまうと、船を利用した海外渡航ができず、他国へと自由にモノを輸出したり、軍艦を出撃させたりすることもままならなくなってしまうのです。今でこそ飛行機や長距離列車などが発達していますが、当時としては大問題だったことがよく分かるでしょう。

そこでロシアは、建国以来ずっと凍らない港「不凍港」を追い求めてきました。基本的に、凍らない港は暖かいところ、つまり南方にありますよね。だからこそ、ロシアが不凍港を求めて実施した対外的拡大のことを「南下政策」と呼ぶのです。

ロシアが特に狙っていたのが、現在のロシア・ウクライナ・トルコなどに囲まれた黒海と、その先に広がる地中海でした。比較的低緯度に位置しているこれらの海は、冬に凍ることがありません。そこで、黒海・地中海への出口を求め、ロシアは沿岸部の国にたびたび侵攻していきました。

ロシアの拡大に待ったをかけたイギリス

ロシアがまず目をつけたのがバルカン半島です。地中海に張り出したこの半島は、黒海・地中海を狙うロシアにとってはまさにうってつけの場所でした。

ただし、ロシアの「侵攻」は、現代のウクライナ侵攻のようなものとは少し異なります。当時のロシアは、バルカン半島においては「すでにある争いに介入し、自国により良くしてくれる側を支援する」という動き方がメインでした。しかも、介入する際にも、ただ単に自分の都合だけで支援するわけにはいきません。そこでロシアは、「その地で自由にまとまって独立できず困っている民族を支援する」という大義名分を利用することがありました。最低限の理屈を用意した上で、自分の利益も追求したのです。

しかし、こうしたロシアの動きは、当然周辺国から警戒されました。特に、ロシアの抜け駆けを許さず、度々衝突したのがイギリスです。実は、イギリスもこの辺りの地域で勢力を維持・拡大したいと思っていた国の1つであり、ライバルとしてロシアを見過ごすことはできなかったのです。

大戦争を機に、ロシアは「方針転換」

バルカン半島への南下を繰り返し、そのたびにイギリスと激突してきたロシアでしたが、ある大きな戦争が1つの契機となって、方針転換を迫られます。その大戦争がクリミア戦争です。

クリミア戦争とは、相変わらず南下を狙うロシアと、オスマン帝国とが激突した戦争です。オスマン帝国も黒海・地中海に面しているので、南下を繰り返すロシアとは犬猿の仲でした。そんなオスマン帝国を支援した国こそ、イギリスとフランスだったのです。両国は、ロシアがこれ以上伸長してくるのを防ごうとしてオスマン帝国に味方しました。

この大戦争の結果敗北したロシアは、今までと同じように南下政策を続けるのが難しくなってきました。こうして、クリミア戦争を1つの契機として、ロシアは別の地域に狙いを定めることになります。それが、中央アジアと東アジアです。中央アジアは陸伝いでの南下を、東アジアではオホーツク海・日本海方面への進出を、それぞれ狙っての行動でした。

ユーラシア大陸全域を舞台にした「ゲーム」が起きる

しかし、この動きにも待ったをかけたのがイギリスです。先の第4章のとおり、世界的な影響力を有していたイギリスは、中央アジアや東アジアにもそれぞれ自分が支配している地域を持っていました。その近くにロシアが迫ってきてしまったため、両者の争いは必然的にユーラシア大陸全体へと広がっていきました。

こうした、ユーラシア大陸の各地におけるロシアとイギリスの激突を「グレートゲーム」と呼ぶことがあります（第一p185）。これは、両国をゲームのプレイヤーに、抗争の主戦場となったユーラシア大陸をゲームの盤面に見立てた表現です。

ここからは実際に東大世界史を解きながら、ロシアの対外政策がユーラシア大陸にどのような影響をもたらしたのか、東大が提示するイギリスとの対立を補助線に考えていきます。

演習編

問題（2014年）

19世紀のユーラシア大陸の歴史を通じて、ロシアの動向は重要な鍵を握っていた。ロシアは、不凍港の獲得などを目ざして、隣接するさまざまな地域に勢力を拡大しようと試みた。こうした動きは、イギリスなど他の列強との間に摩擦を引きおこすこともあった。

以上のことを踏まえて、ウィーン会議から19世紀末までの時期、ロシアの対外政策がユーラシア各地の国際情勢にもたらした変化について、西欧列強の対応に注意しながら、論じなさい。解答は20行以内で記述し、必ず次の8つの語句を一度は用いて、その語句に下線を付しなさい。※1行は30字。

【指定語句】アフガニスタン　イリ地方　沿海州　クリミア戦争　トルコマンチャーイ条約　ベルリン会議（1878年）　ポーランド　旅順

読解

ロシアの対外政策がもたらした「変化」

ロシアが長年にわたって南下政策を繰り返してきたことについては、講義編で確認しました。ここからは、東大の問題を使って具体的に検討していきます。

先に、この問題の主要求を確認しておきましょう。第2段落を見ると、この問題の主要求は、「ウィーン会議から19世紀末までの時期、ロシアの対外政策がユーラシア各地の国際情勢にもたらした変化について」論じることです。その際、「西欧列強の対応に注意」することが求められています。

ウィーン会議とは、1814年から1815年にかけて開かれた国際会議のことです。つまり、ほぼ19世紀全体を通してロシアが進めてきた対外政策と、それがもたらした変化について考えれば良いことになります。

「変化」とありますから、従来なかったものが新たに現れたり、従来存在したものの性質が変わったりしたことを言う必要があります。単に「この時代にこんなことが起きました」と、出来事を無遠慮に羅列するだけでは、問いに答えたことにはならないので気をつけましょう。問いに対して正確に答えることは、入試問題に限らず、あらゆる場面で求められる基礎基本ですが、それを徹底するのは案外難しいものです。

ユーラシア大陸の歴史の「重要な鍵」を握ったロシアの動向

主要求を見たところで、問題文の冒頭に戻ります。今回の問題は、「19世紀のユーラシア大陸の歴史を通じて、ロシアの動向は重要な鍵を握っていた」という意味ありげな言葉から始まります。気を抜くと見過ごしてしまいそうな一文ですが、ここには東大「らしさ」が端的に詰まっています。

まず注目すべきは、「ユーラシア大陸の歴史を通じて」。ユーラシア大陸とは、当然ながらヨーロッパに限らず、東アジアや中央アジアをも含む非常に広大な地域です。狭い地域に限らず、広範な地域の歴史に目を向けよ、という姿勢はまさに東大らしいと言えるでしょう。

もう1つ重要なのが、「ロシアの動向」が「重要な鍵を握った」というところです。19世紀のユーラシア大陸の歴史をただぼんやりと想定するだけなら、ただ教科書の該当箇所を読めばそれで事足ります。そうではなく、当時のロシアの動向（動きやその傾向）を踏まえた上で、それがどんな意味で「重要な鍵」となったかを考えよ、と言っているのです。

ユーラシア大陸という広範な地域について、ロシアの動向を始点として動いた歴史について考えるのがこの問題の要点です。1文目にして、この問題のエッセンス、ひいては本文における東大の歴史観が垣間見えるとも言えるでしょう。

南下政策が引き起こした「摩擦」

次の文では、ロシアが不凍港を求めて勢力拡大を試みていたことに触れられています。これについては、すでに講義編でもお伝えしましたね。

では、「隣接するさまざまな地域」とはどこのことでしょうか。先ほど強調したとおり、今回の問題の主眼はユーラシア大陸全域です。そして、非常に広大な領土を有するロシアは、西はヨーロッパ、南は中央アジア、東は東アジアと、大陸内の3地域と国境を接していました。よって、これらの地域それぞれにどのような形で勢力を拡大しようとしたのか、具体的に考える必要があります。

さらに鍵となるのが、「こうした動きは……摩擦を引きおこすこともあった」です。「こうした動き」とは、ロシアによる隣接地域への勢力拡大を指します。こうした勢力拡大が

「摩擦」を引き起こしたというのです。この「摩擦」こそ、今回問われている「変化」と対応します。つまり、19世紀にロシアが実施した勢力拡大の試み（＝対外政策）が、イギリスなどの列強との間に、今までになかった・今までとは性質の違う摩擦を生み出したことが、今回の問題の核となります。

ここで注意してほしいのが、ロシアの対外政策だけに注目したり、逆に国際情勢の変化だけを論じたりしてはいけないということです。今言ったとおり、今回の問題の核は「ロシアの対外政策（勢力拡大など）がもたらした変化（摩擦）」です。この時代には、当然ながらさまざまな国際情勢の変化があり、その中には「ロシアの対外政策がもたらした」とまでは言えないものもたくさんあります。今回はそれらを一旦脇において、「ロシアの対外政策を起点として生じた国際情勢の変化とは何なのか」ということを考え抜きましょう。

こうした視点から19世紀の歴史を見る際に非常に大事なのが、講義編で紹介した「グレートゲーム」です。そこで、ロシアとイギリスがユー

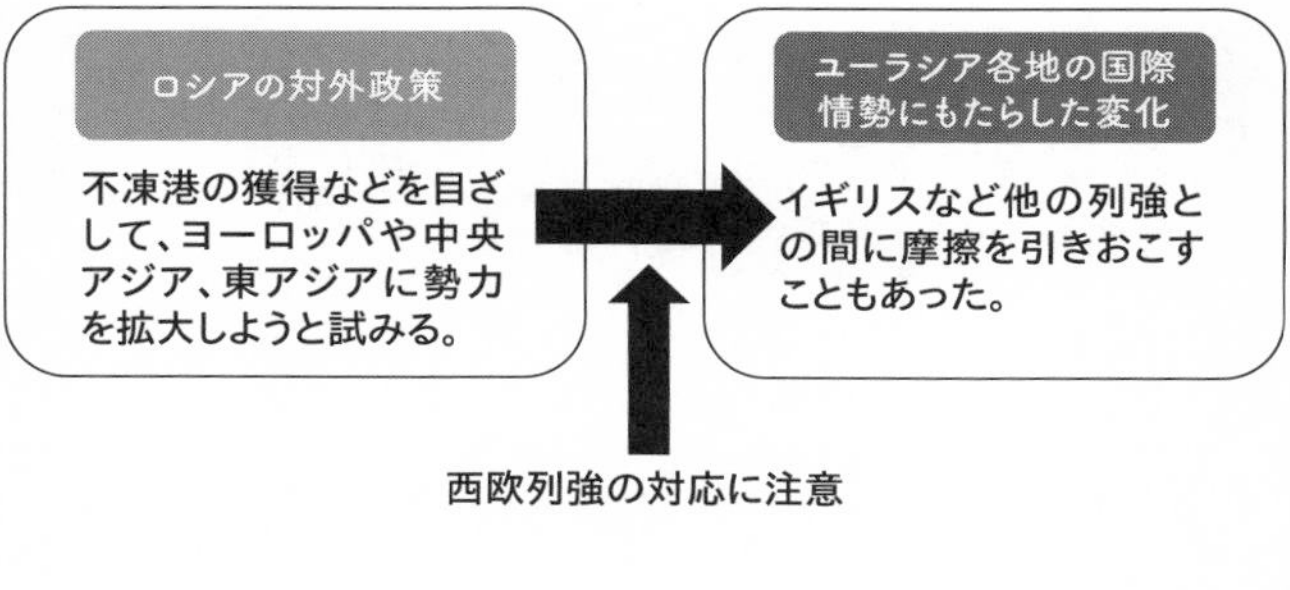

ロシアの対外政策

不凍港の獲得などを目ざして、ヨーロッパや中央アジア、東アジアに勢力を拡大しようと試みる。

ユーラシア各地の国際情勢にもたらした変化

イギリスなど他の列強との間に摩擦を引きおこすこともあった。

西欧列強の対応に注意

ラシア大陸全域で繰り広げた大きな対立を軸として、各時代に起こった具体的な事例について見ていくことにしましょう。

解説

ウィーン会議からしばらくは「憲兵」として秩序維持に貢献

1814年から開催されたウィーン会議では、フランス革命やナポレオンによってかき回されたヨーロッパの今後の国際秩序のあり方が議論されました。会議では各国の利害が絡み合い、途中にはナポレオンが一時的に復活したこと（いわゆる「百日天下」）もあって、会議はなかなか進みませんでした。

半年かけてようやくまとまった議定書によってもたらされた国際秩序は、「ウィーン体制」と呼ばれます。これは、フランス革命に始まる「混乱」以前の状況を理想とし、そこへの復帰を目指す「正統主義」と、ナポレオンのような1強状態を避け、侵略による拡大や新国家の独立などを防ぐ「勢力均衡」という2つの考え方に支えられたもので、非常に保守的なのが特徴です。

このウィーン体制を強化すべく、列強たちは同盟を組むことにしました。その1つが神聖同盟です。これは、当時のロシア皇帝アレクサンドル1世の提唱によって結成されたもので、ほとんどの君主がこれに参加しました。

しかし、フランス革命を機に一度盛り上がった革命の火は簡単には消えませんでした。その後のヨーロッパでは、自由主義やナショナリズムに基づく動きが相次いだのです。

まず、1820年代からヨーロッパ各地で革命的な動きが起こります。1830年には、フランスで七月革命が起きて保守的な王政が打倒され、ポーランドでもロシアからの分離独立を求めた人々が蜂起しました。ロシアは、このうちポーランドにおける反乱を鎮圧し、ウィーン体制の維持に貢献します。

続いて、1848年にはフランスから始まった動乱が全ヨーロッパに広まり、ウィーン体制は事実上崩壊するのですが、ここでロシアは革命に対処しようとする列強に力を貸し、あくまで体制の維持を目指しました。この時武力によって民族運動を抑え込んだロシアは、その働きぶりから「ヨーロッパの憲兵」と呼ばれるほどです。

こうしてロシアは、ウィーン体制成立後から、その強化や維持に貢献するような対外政策をとっていました。

ウィーン体制動揺の引き金ともなったロシア

では、ロシアが体制維持に安住していたかというと、決してそうではありません。むしろ、何度も話題になっているとおり、不凍港の拡大などを目指して南下政策を進めていたのです。

その最初とも言える出来事が、ギリシア独立戦争です。ヨーロッパの中心と接していたギリシアでも、1820年代に自由主義的な運動が盛り上がり、当時ギリシアを支配していたオスマン帝国からの独立を目指した動きが起こりました。

ウィーン体制に沿って考えるなら、こうした独立運動は抑制されるべきです。実際、ウィーン体制の維持に重要な役割を果たしていたオーストリアは、オスマン帝国側を支持しました。

しかし、不凍港の欲しいロシアは、「バルカン半島方面に進出できれば、冬でも凍らない地中海へと出ていける」と考えて、ギリシアを支援しました。そのほうが南下政策のためになると判断したのです。

ロシアがギリシア側についたと聞いて、黙っていなかったのがイギリスとフランスです。同じくバルカン半島周辺を重視していた彼らも、ロシアに出し抜かれないようにギリシア支持を決めました。

こうして大国の援助を受けたギリシアは、オスマン帝国との独立戦争に勝利して独立を達成します。これ以降、オスマン帝国領をめぐる民族問題などを総称した「東方問題」が発生し、ウィーン体制は動揺しました。

同様のことが、エジプトの独立に際しても起きています。オスマン帝国と、そこから独立しようとしたエジプトとの戦争において、ロシアは南下政策の観点からオスマン帝国側を支持しています（エジプト＝トルコ戦争）。ここでロシアはオスマン帝国を利用する形で南下を成功させたかに見えましたが、イギリスの巧みな外交もあって失敗に終わりました。

いずれの例でも重要なのは、ロシアの対外政策はウィーン体制を動揺させることもあったこと、そしてロシアの南下自体は他の列強により阻止されたことです。

ロシアが仕掛けたクリミア戦争でウィーン体制は完全崩壊

こうして瀕死状態となったウィーン体制にトドメを刺したのが、19世紀の一大事件となったクリミア戦争です。

オスマン帝国領を切り崩しての南下を諦めきれないロシアは、ついにオスマン帝国との直接対決に臨みました。一方、引き続きロシアの南下を阻止したい英仏は、ギリシア独立戦争の時とは打って変わってオスマン帝国のほうを支持しました。

こうしてヨーロッパの大国同士がぶつかりあったクリミア戦争は、オスマン帝国らの勝利で終わりました。ただし、勝利したオスマン帝国も列強からの借金などに苦しめられ、いいことばかりではなかったこと、負けたロシアが農奴解放などを進めて近代国家としての道を歩みはじめたことについては、第4章でお伝えしたとおりです。

さて、もともとウィーン体制は、大国同士が協力して旧来から続く国際秩序を維持しようとしたものでした。本来協力すべき大国同士が勢力拡大を巡って争い合ってしまったことで、その理念が根本的に否定されてしまったことは言うまでもありません。こうして、すでにガタガタだったウィーン体制は、クリミア戦争により完全に崩壊しました。

その後、各国は協調的な姿勢を捨て、自分の国のことに専念せざるを得なくなっていきます。こうして、今まで押さえつけられていた独立の動きが活発になり、新たな統一国家が誕生する素地が整ったのです（山川・詳説p226）。その結果、バラバラだった地方勢力をまとめ上げる形で、ドイツとイタリアが誕生しました。

諦めの悪いロシアも、ついに方針転換を決意

諦めの悪かったロシアは、あくまでバルカンでの南下にこだわろうとします。クリミア戦争で一度は破れたオスマン帝国と、再び戦争を始めたのです（露土戦争）。ここでついに勝利したロシアは、自国に非常に有利なサン＝ステファノ条約の締結をオスマン帝国に飲ませ、一時領土の拡大に成功しました。

しかし、他の列強は、こうしたロシアの拡大を当然見過ごしませんでした。当時活躍したのが、ドイツ統一の立役者であり、ドイツ外交をその敏腕によって導いたビスマルクです。彼はベルリン会議を「公正な仲介人」として調停し、結果的にロシア有利の条約を大幅に修正させました。

以後、バルカンを巡る列強間の対立は激しくなるとともに、またしても南下に失敗したロシアは、いよいよ方針転換を図ります。「西のバルカンから南下できないのなら、南や東だ」ということで、中央アジアや東アジアへとその関心を移していくのです（山川・詳説p232）。

中央アジアでイギリスと激しく対立

ロシアは、1820年代の時点で、すでに中央アジア進出の足がかりを作っていました。イランに目をつけていたロシアは、イランに攻め込んで屈服させた上で、トルコマンチャーイ条約という不平等条約を押し付けます。こうしてロシアは、中央アジアで動きやすい体制を確保していたのです。

クリミア戦争敗北の頃には、現在のウズベキスタン等の周辺にあった3ハン国（ブハラ＝ハン国、ヒヴァ＝ハン国、コーカンド＝ハン国の3カ国）を相次いで併合します。さらには、中国・清朝との国境付近に位置するイリ地方も一時占領してみせて、清朝を驚かせました。こうしてロシアは、中央アジアにおける存在感を着々と増していったのです。

ここでもロシアの動きに危機感を覚えたのが、イギリスでした。イギリスは、中央アジアからじわじわと南下してくるロシアが、当時イギリスがもっとも大事にしていた植民地の1つであるインドに迫ってくるのではないかと考えたのです。そこでイギリスは、アフガニスタンを自分たちの側に引き込んで防衛ラインとし、それ以上ロシアが侵攻してくるのを食い止めようと考えました。

そのため、イギリスは1838年と1878年の2度にわたってアフガニスタンに侵攻しますが、アフガニスタンは強力に抵抗し、イギリス軍を2度とも撃退します。しかし簡単には引き下がれないイギリスは、2度めの侵攻の翌年にアフガニスタンを強引に保護国化しました。こうして、中央アジアではアフガニスタンを緩衝国とする英露対立が繰り広げられたのです。ちなみに、「グレートゲーム」と言った際には、中央アジアにおける対立だけを指すこともあります（山川・詳説p245）。

極東の地における対立が、後の日露戦争の引き金となった

西と南で繰り広げられたグレートゲーム、残るは東アジアにおける対立です。

ロシアの主な目的が不凍港の獲得であることは、忘れてはなりません。東アジアへの勢力拡大に際しても、比較的温暖な港の獲得は非常に重要でした。

こうしたロシアの悲願は、東アジアにおいて遂に達成されます。中国の清朝とイギリス・フランスが戦ったアロー戦争の際、ロシアは直接対決を避け、両者の講和の仲介役を買って出ます。そして、その見返りとして清朝から日本海に面した沿海州という地域を獲得し、そこに軍港を建設したのです。それが今でも州都として栄えるウラジオストクです。

不凍港を獲得したロシアの極東進出は、これでは終わりませんでした。というのも、ウ

ラジオストクは不凍港とは言うものの、寒さの厳しい真冬には凍ってしまうことがあり、これ1つでは心もとないところがあったのです。そこでロシアは、さらに南部の中国や朝鮮への進出を企図します。そこで、イギリスや日本と対立することになったのです。

日本とはっきり対立するようになったきっかけの1つが、「三国干渉」と呼ばれる出来事です。1894年から始まった日清戦争に勝利した日本は、清朝からさまざまな領土と賠償金を獲得しました。これに目をつけたロシアが、ドイツとフランスを誘った上で、日本に対し「清朝から獲得した領土のうち、遼東半島（現在の中国遼寧省付近）を返還せよ」と勧告したのです。

当然日本国内では、こうした外国の対応に反発する意見も盛り上がりましたが、今大国ロシアと戦ってもまだ勝てないと判断した日本政府は、この勧告を受け入れざるを得ませんでした。するとロシアは、これを機に清朝に対する影響力を強め、中国大陸を横断する鉄道の敷設権を認めさせたり、遼東半島の先端にある旅順・大連という重要な港を租借（外国の領土を一定期間借りること）したりと、次々に中国進出を進めていきました。

ロシアはさらに、ロシアの中心部や新たに獲得した複数の港を陸路で結んで港の実効性をさらに高めるべく、当時建設が着々と進められていたシベリア鉄道をさらに延ばし、ウラジオストクと旅順・大連を結びつけます。こうしてロシアは、東アジアでかなりの存在感を持つ国家となったのです。

バルカン半島と中央アジアでロシアと対立していたイギリスは、当然こうした動きを見過ごせません。実際、朝鮮における影響力を巡っては、両者による水面下の争いも発生しています（山川・総合p79)。そんなイギリスが、東アジアにおけるロシアの抑止力としても期待をかけたのが、日本でした。当時イギリスは「光栄ある孤立」というスローガンを掲げ、他国と同盟を結ぶことを避けてきたのですが、自分の力が弱くなりつつあったこともあり、遂に日本との同盟締結を考え出すのです。

実際に日英同盟が締結されるのは１９０２年、日本とロシアによる直接対決である日露戦争は１９０４年と、いずれも今回の問題の範囲からはぎりぎり外れます。しかし、直後に起きたこれらの重要な出来事は、19世紀を通じた歴史を考える上でも意識しないわけにはいきません。

以上解説してきた、ロシアの対外政策を起点とする国際情勢の変化を大まかにまとめると、「当初はウィーン体制の強化・維持に貢献するような動きを見せたロシアが、体制の動揺から崩壊以降は3地域にまたがって対外進出を試み、それがイギリスとのグレートゲームという新たな対立を中心とする国際情勢を生み出した」ということになります。

そして、こちらが今回の解答例です。今回は、字数の都合上、エジプト=トルコ戦争については触れませんでした。また、東アジアにおけるイギリスとの対立も、教科書レベルでは具体例への言及が少ないこともあり、記述内容はある程度抽象的に留めています。

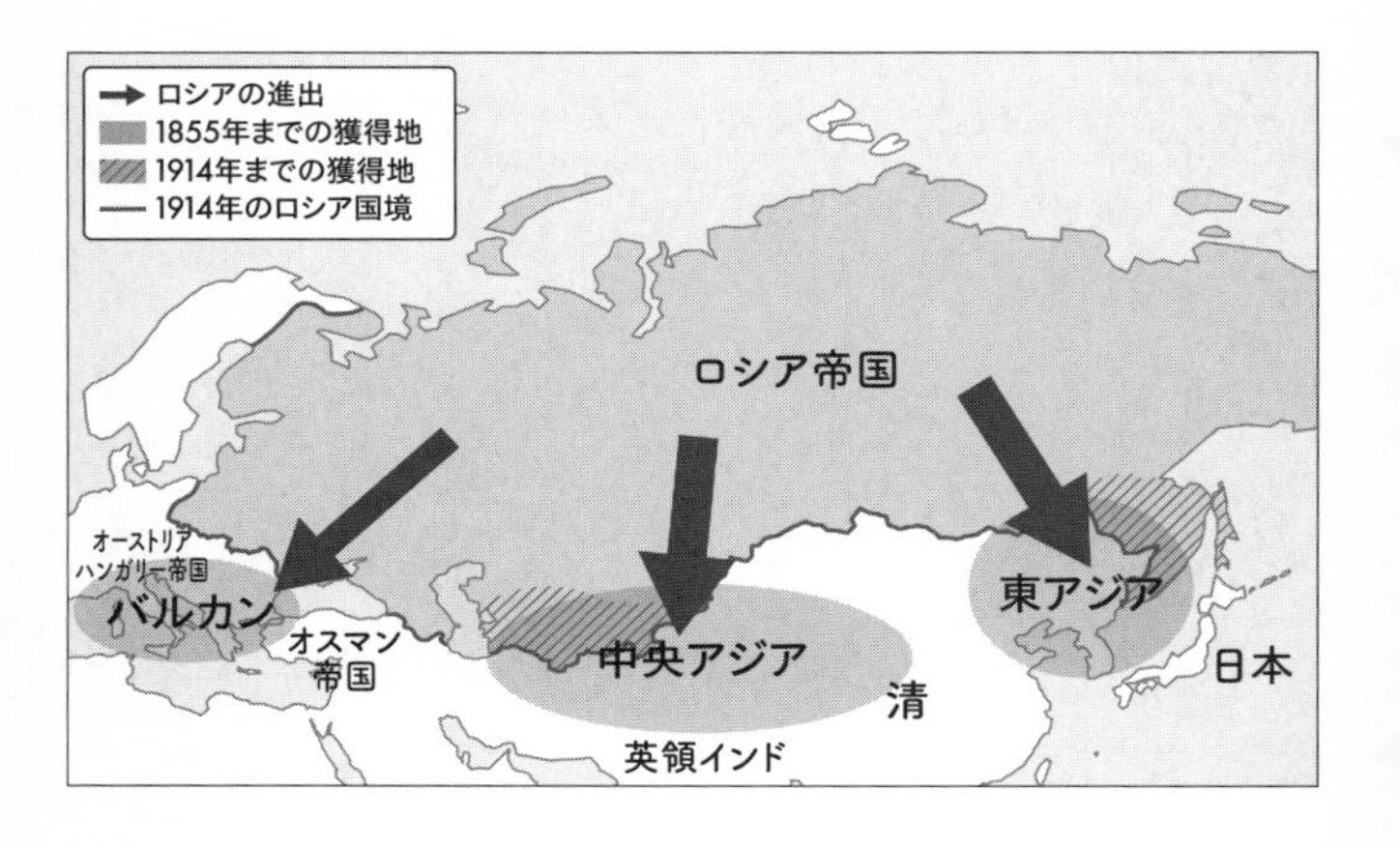

◎第5章のまとめ（解答例）

19世紀のロシアの対外政策は、バルカン・中央アジア・東アジアに及ぶユーラシア全域でイギリスとの「グレートゲーム」をもたらした。ウィーン会議後、ロシアは神聖同盟の提唱や七月革命に続く**ポーランド**の反乱の制圧、1848年革命に対処する列強の支援等でウィーン体制を強化・維持した。一方、バルカンでの南下を狙ったギリシア独立支援に英仏が同調して以降「東方問題」が生じ、ウィーン体制は動揺した。そして、ロシア南下阻止を狙う英仏が支援するオスマン帝国に敗北した**クリミア戦争**により、ウィーン体制は完全に崩壊した。その後列強は国内問題に専念し、独伊統一の余地が生じた。露土戦争ではロシアが勝利するも、英墺が反発し、ドイツ統一の立役者ビスマルクが調停した**ベルリン会議（1878年）**で再度南下を阻まれ、バルカンを巡る列強の対立は激化した。バルカンでの南下を阻まれたロシアは南下政策を中央・東アジアに転換する。既に**トルコマンチャーイ条約**でイランに進出し、イギリスの介入を招いていた中央アジアでは、3ハン国に侵攻し、対英意識で**イリ地方**も占領すると、インドを守るべく介入してきたイギリスと**アフガニスタン**を緩衝国として対立した。東アジアでも、アロー戦争の際に**沿海州**を得て軍港を開き、朝鮮等を巡りイギリスと対立した。このグレートゲームは後に、日清戦争後の三国干渉や**旅順**・大連の租借で対立していた日本を巻き込んだ帝国主義戦争たる日露戦争を招く。

…

〈参考文献〉

● **大阪大学歴史教育研究会編『市民のための世界史』**（大阪大学出版会、2014）

「はじめに」でも紹介したとおり、この本は全体を通して参考にしていますが、特にこの問題の解答を考える上では必見とも言えます。この本の第8章で19世紀の世界に関する議論が紹介されているので、ぜひ読んでみてください。

● **秋田茂責任編集『グローバル化の世界史』**（ミネルヴァ書房、2019）

専門的な論考を集めたハイレベルな書籍ですが、もっと知りたいという方にはおすすめです。宇山智彦先生による第6章「近代帝国間体系のなかのロシア――ユーラシア国際秩序の変革に果たした役割」が、本問にかかわる箇所です。ロシアがこの時代に果たした役割について、私たちが今回作った解答例で採用したものとは異なる見解に立って解説しているため、より深い学びのために参考になります。

第6章

東アジアの伝統的な国際関係と近代におけるその変容

講義編

　この章では、私たちの住む日本も含まれる東アジア地域にフォーカスした、「東アジアの伝統的な国際関係と近代の変容」について考えさせる問題を解いていきます。東アジアで伝統的に大きな存在感を示してきたのが中国です。特に、近代までの東アジアの歴史は、中国との関係の歴史と言ってもいいでしょう。事実、東アジアには、中国を中心とする独自の国際関係が存在していました。

　しかし、この国際関係は少しずつ変容し、近代以降は中国だけが中心とはいえない状況となってきます。そこで最初に、東アジアの伝統的な国際関係である「冊封朝貢関係」に、次に近代におけるその変容についてざっくり解説した後で、実際に東大世界史の問題を考えていきましょう。

「中国」という名前自体に込められた意識

皆さんは、「中国」という名前自体に注目したことはありますか？　この名前、実はかなり深い意味が込められた名前なのです。

中国には、読んで字のごとく、「中心の国」という意味があります。このような言葉を国名としたのは、「自分たちが世界の中心である」という思想があったからです。

自分たちこそ天下の中心で、それ以外の周辺の国や地域とは違うという特権的な意識のことは「中華思想」と呼ばれ、中国は伝統的にこの思想のもとで動いてきました（余談ですが、日本の「中国地方」は、かつて都のあった畿内と大宰府を中心とする西国との「中間」にあるからで、中華思想とは関係ありません）。

こうした中華思想に基づいた東アジアの伝統的な関係こそ、「冊封朝貢関係」です。日本史を少しでも勉強したことのある人なら、冊封や朝貢という言葉自体は聞いたことがあるはずです。まさにそれこそ今回紹介するもので、冊封朝貢関係とは、中国を中心とした東アジアの国々が結んでいた独特の国際関係のことをいいます。

冊封・朝貢によって面子を保った中国と、それによって潤った周辺国

冊封とは、中国皇帝が、周辺諸国の君主に一定の地位を認めることです。冊封を受けた君主は、中国皇帝からその地域の支配を認めてもらうことで、自国の支配を正当化できました。その代わりに、周辺諸国は形式上中国の傘下に入り、中国に対する一定の義務を負担する必要がありました。その代表的な義務が朝貢です。

朝貢とは、周辺諸国が中国に対して贈り物を送ることです。朝貢を行うことで、周辺国は中国との友好関係を維持し、貿易などを優先的に行うことが許されました。また、中国は面子(メンツ)を保つため、朝貢してきた周辺国に対して贈られた以上のお返しをしていました。中国人は、今でも面子を重んじると言われており、高価な贈り物をしたり、食事をごちそうしたりするのを重視しているそうです。中国の面子を重視する姿勢は、この頃から続いていると言えるかもしれません。

いずれにせよ、こうした冊封・朝貢に基づく国際関係は、中国の優越性を示すとともに、周辺諸国にも利益をもたらす仕組みでした。周辺諸国は、中国との友好関係を通じて安定した政治や経済を享受できるため、理念的だけだったとしても中国に従属する姿勢を示し、この関係を維持することが重要だったのです。

新たな秩序をもたらしたヨーロッパ列強

しかし、こうした冊封朝貢関係にも転機が訪れます。特に大きなきっかけとなったのが、19世紀以降東アジアに進出してきたヨーロッパ列強です。ヨーロッパ列強は、近代に形成されてきた国際法や条約といった新たな秩序を持ち込み、冊封朝貢関係に基づく伝統的な秩序に割り込んできました。これにより、冊封朝貢関係が徐々に崩れはじめたのです。

東アジアの伝統的な秩序と、ヨーロッパ列強が持ち込んできた秩序との決定的な違いは何か。それは、両者がそもそもの前提としている国家間の関係です。近代国際法や条約の大前提は、「国家同士が平等な関係にあること」でした。これは、冊封朝貢関係の前提となる、「中国が優越し、周辺国はそれに劣後する」という考え方とは真逆ですよね。前提が異なる両者は水と油のようで、そのままでは混ざり合うことができなかったのです。

こうした状況の中で、周辺諸国は、大きく2つのパターンに分かれたと言っていいでしょう。1つは、ヨーロッパ列強と対等な関係を築くための近代化・西欧化に成功した国です。代表的な例が、明治維新によって近代国家への転換を成功させた日本です。日本は、理念面でも現実面でも中国からの影響力が弱まり、主権国家として独自の発展を目指すようになり、後には中国と大規模な戦争を起こすまでになりました。

もう1つが、西欧の拡大を恐れた中国によって現実面でも従属させられてしまった国です。もともと、冊封朝貢関係では、理念面では中国に従属しつつも、実体としては比較的自由に国家を運営できていました。中国は、暗黙の了解として、周辺国の内政に干渉したり、攻めたりすることはあまりなかったのです。

しかし、19世紀終盤以降、焦った中国は周辺国の内政や外交に干渉するようになり、暗黙の了解も崩れていきました。列強の介入によって、東アジアの伝統的な関係は、理念面でも現実面でも変更を余儀なくされたのです。

ということで、ここからは東大の問題を検討しながら、こうした変化についてより具体的に見ていきます。特に注目するのは、朝鮮・ベトナム・琉球の3地域です。また、今回の問題はこれまでと異なり、史料の読み解きも問われているので注意して解いていきましょう。

演習編

問題（2020年）

国際関係にはさまざまな形式があり、それは国家間の関係を規定するだけでなく、各国の国内支配とも密接な関わりを持っている。近代以前の東アジアにおいて、中国王朝とその近隣諸国が取り結んだ国際関係の形式は、その一つである。そこでは、近隣諸国の君主は中国王朝の皇帝に対して臣下の礼をとる形で関係を取り結んだが、それは現実において従属関係を意味していたわけではない。また国内的には、それぞれがその関係を、自らの支配の強化に利用したり異なる説明で正当化したりしていた。しかし、このような関係は、ヨーロッパで形づくられた国際関係が近代になって持ち込まれてくると、現実と理念の両面で変容を余儀なくされることになる。

以上のことを踏まえて、15世紀頃から19世紀末までの時期における、東アジアの伝統的な国際関係のあり方と近代におけるその変容について、朝鮮とベトナムの事例を中心に、具体的に記述しなさい。解答は20行以内で記述しなさい。その際、次の6つの語句を必ず一度は用いて、その語句に下線を付しなさい。また、下の史料A〜Cを読んで、例えば、「〇〇は××だった（史料A）。」や、「史料Bに記されているように、〇〇が××した。」などといった形で史料番号を挙げて、論述内容の事例として、それぞれ必ず一度は用いなさい。※1行は30字。

【指定語句】 薩摩　下関条約　小中華　条約　清仏戦争　朝貢

【史料A】

なぜ、（私は）今なお崇禎（すうてい）という年号を使うのか。清（しん）人が中国に入って主となり、古代の聖王の制度は彼らのものに変えられてしまった。その東方の数千里の国土を持つわが朝鮮が、鴨緑江を境として国を立て、古代の聖王の制度を独り守っているのは明らかである。（中略）崇禎百五十六年（1780年）、記す。

【史料B】

1875年から1878年までの間においてもわが国（フランス）の総督や領事や外交官たちの眼前

で、フエの宮廷は何のためらいもなく使節団を送り出した。そのような使節団を3年ごとに北京に派遣して清に服従の意を示すのが、この宮廷の慣習であった。

【史料C】

琉球国は南海の恵まれた地域に立地しており、朝鮮の豊かな文化を一手に集め、明とは上下のあごのような、日本とは唇と歯のような密接な関係にある。この二つの中間にある琉球は、まさに理想郷といえよう。貿易船を操って諸外国との間の架け橋となり、異国の珍品・至宝が国中に満ちあふれている。

読解

史料の読み解きが試される

今回の問題は、今までの問題にはなかった特徴があります。問題文とは別に、史料として3つの文章が提示されていることです。過去にも、日本国憲法の条文が提示されたり、第4章で扱った2008年のように、ある文献の1節が引用されたりすることはありました。しかし、3つの史料を同時に提示して、しかもそれを明示的に検討させるのは、珍しいことだと言っていいでしょう。東大は、今回の問題で、史料を読み解く力も問おうとしています。そもそもなぜ東大がこれらの史料を提示したのか、これを見て何を考えてほしいと意図しているのか、考えながら問題を検討することにしましょう。

長きにわたって守られてきた伝統と、その変容

さて、ここからはいつもどおり主要求の検討から始めます。今回は、「15世紀頃から19世紀末までの時期における、東アジアの伝統的な国際関係のあり方と近代におけるその変容について」考えることが求められていますね。

まず注目すべきは、「変容」、つまり変化が問われていることです。第1章と第3章でも変化に関する問題を見てきたように、東大は変化について考えさせることがよくあります。繰り返しになりますが、変化を考える際には、変化前後と変化理由を念頭に置いてください。今回なら、「東アジアの伝統的な国際関係のあり方」が変化前に当たりますから、まずは伝統的なあり方がどのようなものであったか、検討の必要がありそうです。

こうした変化については、「朝鮮とベトナムの事例を中心に」考えればいいようです。「中心に」とは、逆に言えば、「それ以外もあるよ」ということです。もちろん、他の国の例を

3つも4つも考える必要はないでしょうが、何か1つは思いついておきたいところ。そこで、最初に触れた史料が手がかりとなります。3つあるうちの史料Cでは、琉球の話がなされていますね。よって、朝鮮とベトナム、そして琉球の3つを軸に検討することにしましょう。

今回の主要求で最後に注意すべきは、「具体的に」書くよう求められていることです。東大がわざわざ「具体的に記述せよ」と言う以上、抽象的な歴史の流れをダラダラと考えてもダメだということです。実は、このあと見る今回のリード文は、普段の東大の問題に比べても少し長めになっています。つまり、第2章で扱った2021年の問題と同様、リード文がそのまま歴史のミニまとめ、抽象論になっているのです。だとすれば、私たちは、自分なりに抽象論を焼き直す必要はありません。むしろ、東大が提示してくれた枠組みに沿って、歴史上に散らばるさまざまな事例を整理することが求められています。

そして東大は、具体例について考える際のヒントも出してくれています。それが3つの史料です。「下の史料A～Cを読んで……論述内容の事例として」用いよ、とあるとおり、史料も活用しながら、「東アジアの伝統的な国際関係のあり方とその変容」という大きなテーマに沿う具体例を考えることにしましょう。

国際関係の「理念」と「現実」、両面に着目すべし

主要求について分かったら、残るリード文を検討します。リード文序盤によれば、国際関係にはさまざまな形式があるところ、その一例が、近代以前の東アジアにおける国際関係だとのことです。この、近代以前の東アジアにおける国際関係こそ、「伝統的な国際関係」ですね。

その後に続く文では、この伝統的な国際関係がどのようなものであったかが説明されています。要約すると、当時の近隣諸国は、中国に対して臣下の礼をとり、中国の皇帝に従うような姿勢を見せておきつつ、現実において従属していたわけではなかったというのです。ここでは、理念的には中国を頂点とする階層構造が形成されていながら、実態としては必ずしもそうではなかったという点を意識できるかどうかが重要でしょう。

また、近隣諸国は、こうした国際関係を、国内において自らの支配の強化に利用したり、異なる説明で正当化したりしていたとされています。なんとも都合のいい話だな、と思うかもしれませんが、いずれにせよ、中国との関係を国内でどのように利用したりしていたのか、これについても考える必要がありそうです。

さて、長かったリード文も、こうした国際関係が、ヨーロッパで形成された別の国際関

係が持ち込まれてきたことで変容した、という話で終わります。これこそまさに、主要求で出てきた「近代におけるその変容」ですね。ここではまず、ヨーロッパで形成された国際関係の性質について理解しておく必要があります。東アジアにおける伝統的な国際関係との違いを意識しつつ考えてみると、理解しやすいかもしれません。

そして何より外せないのが、理念と現実の「両面」で起きた変容について考えることです。理念と現実という2つの観点が与えられているからには、片方だけではなく、それぞれがどのように変わっていったのか、意識する必要があると言えるでしょう。

これで問題文全体の読解が終わりました。東アジアの伝統的な国際関係のあり方が、ヨーロッパで形成された国際関係が持ち込まれたことで、理念・現実の両面においてどう変わったのか。ここからは、朝鮮・ベトナム・琉球の3つの事例を中心に、具体的に検討していくことにします。

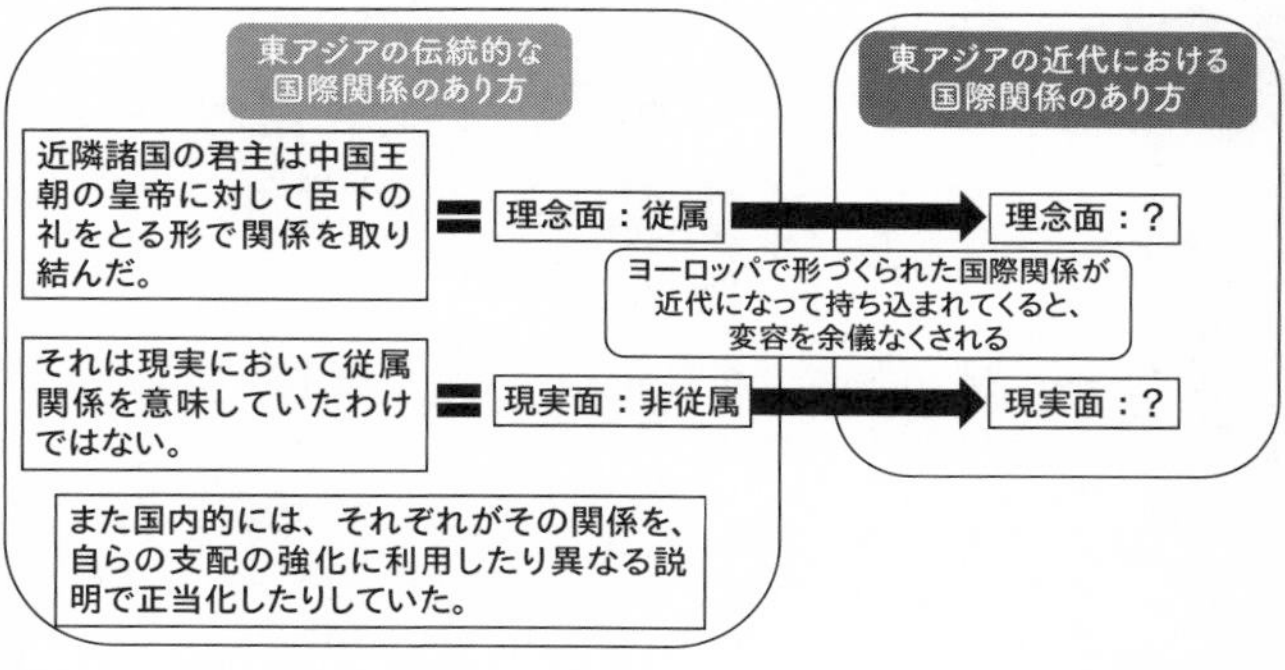

東アジアの伝統的な
国際関係のあり方

近隣諸国の君主は中国王朝の皇帝に対して臣下の礼をとる形で関係を取り結んだ。 ＝ 理念面：従属 → 理念面：？

ヨーロッパで形づくられた国際関係が
近代になって持ち込まれてくると、
変容を余儀なくされる

それは現実において従属関係を意味していたわけではない。 ＝ 現実面：非従属 → 現実面：？

また国内的には、それぞれがその関係を、自らの支配の強化に利用したり異なる説明で正当化したりしていた。

東アジアの近代における
国際関係のあり方

解説

「東アジアの伝統的な国際関係」とはどんなもの？

まず、今回の問題を考える上で出発点となる、伝統的な国際関係のあり方について押さえておきましょう。

問題文では、近隣諸国の君主が中国王朝に対して「臣下の礼」をとったとされていますね。これは、近隣諸国の君主が、中国の皇帝を自分より上の君主として、自らはそれに従う臣下であると示したということです。これを示す具体的な方法こそ、講義編でも紹介した「冊封・朝貢」でした。中国皇帝が、近隣諸国の君主に一定の地位とその地域の支配を認める一方（冊封）、近隣諸国は、中国に対して贈り物を送って友好関係を維持しようとしました（朝貢）。これが、冊封朝貢です。これは、理念面では中国皇帝を頂点とする、周辺国からすれば従属の関係でしたが、現実面においては、決して中国に従属しているとは言えない状況でした。

では、そもそもこの時代の中国王朝は、より具体的にはどのような方針を取っていたのでしょうか？　まずはそこを簡単に確認しておきましょう。

海賊の資金源を絶つべく、民間海上貿易を禁止

14世紀頃の中国に成立した明王朝は、従来までの王朝とは性質の異なる貿易政策を打ち出すことにしました。それが、「海禁政策」です。宋・元という王朝の時代には、民間の商業ベースの交易の方が盛んでした。これに対して、明は、民間の海外貿易を原則禁止して、国家間の正式な関係である朝貢貿易に一本化しようと試みました。こうした、民間の海外貿易を禁止する政策が「海禁政策」です。

なぜ、明は民間貿易を取り締まって朝貢貿易を推進しようとしたのでしょうか。その原因の1つが、当時東アジア近海で猛威を振るっていた「倭寇」と呼ばれる海賊集団です。明は、海の安寧秩序を取り戻し、自分の支配を安定させようと考えていました。そこで、海の治安を乱す海賊の資金源となっていた民間貿易を禁止することで、海賊たちの財源を絶って、周辺国からの支持を得ようとしたのです。

中国側から民間貿易を禁止すると言われてしまったからには、各国は国家間の正式な関係として、冊封・朝貢の関係を取り結ばないわけにはいきません。そこで、15世紀頃の東アジアでは、改めて冊封・朝貢が重視されるようになったのです。ここからは、朝鮮・ベトナム・琉球が、それぞれどのように冊封・朝貢関係を取り結んでいたか、国内向けにど

のように振る舞っていたかを見ていくことにしましょう。

中国との関係をうまく利用した各国

海禁政策の下で、朝鮮・ベトナム・琉球は明と冊封・朝貢を結ぶことになりました。しかし、その「使い方」は地域によってさまざまです。

まず、当時のベトナムには、黎朝という王朝が成立していました。黎利という人物が、それまでベトナムを実質的に支配していた明軍を退けて建てた黎朝は、その後明からも正式に認められ、中国式の中央集権的な制度を導入することで、着実に国力を高めていきました。この黎朝の特徴は、理念面では明の皇帝の下につきつつも、国内では国王が「皇帝」を名乗り、独自の年号を用いていたことです。

続いて琉球（現在の沖縄に相当）は、史料Cが参考になります。同じく明と冊封・朝貢関係を取り結んだ琉球は、中継貿易の拠点として栄えることになったのです。琉球は、小規模ながら、地理的に恵まれた条件を有していました。朝貢先である中国に近いだけでなく、珍しい工芸品などを有している日本や東南アジアからもほど近かったため、日本などから仕入れた物品を中国に貢物として贈り、その見返りに得た金銭でさらに物を仕入れる、という仕組みで繁栄することができたのです。ただし、こうした繁栄もそう長くは続きませんでした。17世紀になると、現在の日本の九州地方で強大な勢力を誇った薩摩が琉球に侵攻し、琉球は、中国と日本に同時に従う関係（日中両属）となったのです。こうした関係は、19世紀まで続くことになります。

朝鮮もまた、明と冊封・朝貢関係を結び、中国へと定期的に朝貢使を派遣していました。こうした関係は、中国で明が滅び、新たに成立した清朝に服属を強いられることになっても継続します。しかし、朝鮮の内心においては、明代と清代でやや変化が見られました。史料Aを見ると、朝鮮は、新たに成立した清王朝を、従来の王朝や制度とは明らかに異なるものとして捉えていることが分かります。それもそのはず、清の皇帝は北方民族の出身であり、従来の中国の中心であった漢民族とは異なるルーツを持っていたからです。そこで朝鮮では、漢民族とは別の風習を守り行う清を「夷狄（いてき）」とみなして反感をあらわにしつつ、自分たちこそ明の正統後継者だと考えるようになりました。こうした思想を、「小中華思想」といいます。

理念面では対等な、ヨーロッパにおける近代的な関係

こうした、理念面では従属しつつ、現実面まで中国に支配されていたわけではないという関係は、近代ヨーロッパで形成された国際関係が持ち込まれることで、次第に変容していくことになります。

当時ヨーロッパで形成された国際関係の柱となったのが、「主権国家」です。すでに少し見たとおり、近代ヨーロッパでは、それぞれの国家が主体として独立しており、互いに過度な干渉をすることを避け、各々が対等な立場でやりとりするという体制が確立しつつありました。こうしたそれぞれの国家を主権国家と呼び、それによって形成された体制を主権国家体制と呼んだりします。

この主権国家たちが、相互のやり取りを簡便にしたり、無用な争いを回避したりするために結ばれるようになったのが、条約や国際法と呼ばれるルールです。お互いが対等で、しかもそれらが相互に納得した上でルールを締結するなんて、今まで見てきた東アジアの国際関係とはだいぶ様子が違うと分かりますよね。

しかし、お互いが対等と言っても、実際常に対等な関係が成立していたかというと、そうでもありません。当然国家間には軍事力や経済力等の強弱があり、戦争をすれば勝った

ほうが負けたほうの優位に立つことになります。そして負けたほうの国は勝ったほうの国に不平等条約の締結を強いられることもありました。つまり、理念面においては対等でありつつも、現実面では従属関係が存在していたのです。

列強の進出もあって、伝統は徐々に変容を余儀なくされる

こうした国際関係は、近代以降、ヨーロッパが貿易等のためにアジアへと進出してきたことで徐々にアジアに入り込んでいきました。もちろん、長年築き上げられた伝統が一瞬で崩れ去ったわけではありません（東京p271）。史料Bによれば、フエ（ベトナム中部にある、黎朝に続く阮朝の都）では、フランスの人々がいる前でも、清に向けた（朝貢のための）使節団が平然と送られていたこと、それによって清への（理念面の）服従を示していたことが語られています。

しかし、いつまでもこうした流れに逆らい続けることはできず、次第に伝統はその変容を余儀なくされていきます。

その1つの要因が、清側の態度の変容です。19世紀中頃からたびたび西欧列強による侵攻を受けていた清朝は、次第に西欧に影響されるようになるとともに、残る自分の支配領

域をなんとかして確保しようと考えるようになっていきました。そこで、従来までは理念的な従属にとどまっていた近隣諸国の内政や外交に干渉して、現実的な支配を及ぼそうとしたのです。こうして、現実面が非従属から従属へと、近代ヨーロッパにおける国際関係に引きずられるようにして変容していったのです（山川・新p281、東京p289）。

さらに拍車をかけたのが、西欧や日本による、近隣諸国を含むさまざまな地域への進出です。彼らは自分たちの都合に合わせ、近隣諸国と個別に条約を結ぶようになっていきました。たとえば日本も、第4章で扱った江華島事件を経て、朝鮮と独自に日朝修好条規を締結しています。こうした進出によって、従来の冊封・朝貢は停止することとなり、東アジア全体が、ヨーロッパ流の条約や近代国際法に基づく関係に組み込まれていったのです。ここで、冊封が終わり、各国がそれぞれ（形式上は）独立国とみなされるようになったことで、近隣諸国が理念面だけでも中国に従属するという関係も終わりを告げます。あくまで理念・形式の面では、互いが対等なものとして扱われるようになったのです。

自分に「従属」してくれていた周辺国を切り崩される中国

このような流れに沿った例について、ベトナムと朝鮮で具体的に何が起こっていたのか見ていきましょう。なお、琉球は、19世紀後半、日本の明治政府によって強引に日本へと編入され（琉球藩）、1879年には沖縄県と改称されました（琉球処分）。

ベトナムでは、先にも少し紹介した阮朝が、フランスの保護下に置かれようとしていました。これに待ったをかけようとしたのが清朝です。ベトナムへの宗主権（従属国に自治を認めつつ、外交や内政などに干渉する権利）を主張した清は、ベトナムの支配権を巡ってフランスと争うことになりました（清仏戦争）。清は善戦したものの、最終的には、清に不利な条件でフランスと条約を結ぶことになります。この天津条約によって、清は、フランスのベトナムに対する保護権を認めさせられました。

朝鮮では、清朝やそれとズブズブになっている国内の皇族による支配への反発が高まり、反乱やクーデタが立て続けに起こりました。それが、壬午軍乱や甲申政変です。朝鮮国内で起きたこのような動きに対して反応したのが清朝です。清朝は、本来ならよそのことであって関係ないはずなのに、反乱の鎮圧に加担して、朝鮮への干渉を強めていきました。

しかし、前述のとおり、朝鮮を巡っては強力なライバルが現れてしまいます。それが日本です。清は日本とも戦争によって争うことになり（日清戦争）、ここでも敗北した清は、下関条約によって日本に多額の賠償金を支払うとともに、朝鮮の独立を認めさせられました。こうして、ベトナムと朝鮮という、かつては理念面で中国に従属していた地域が、今度は形式上対等な独立国として現れることになったのです。

ここまでの内容をまとめれば、解答は完成です。

◎第6章のまとめ（解答例）

東アジアの伝統的な国際関係は、冊封・**朝貢**という理念面では従属、現実面では非従属の関係であった。14世紀に成立した明朝は海禁政策を採り、この下で朝鮮、ベトナムの黎朝、琉球は明朝と冊封・朝貢関係を結んだが、黎朝は対内的には「皇帝」を自称し、琉球は中継貿易の拠点として栄えた（史料C）後、17世紀初めに**薩摩**の侵攻を受けて日中両属の状態となった。この関係は清朝成立後も基本的に継続されたが、朝鮮では「夷狄」の風俗を守る清朝に対して、自らが中華文明の正統な後継者であるとする**小中華**意識が強まった（史料A）。しかし、主権国家間で結ばれた条約や近代国際法に基づく、理念面では対等、現実面では従属の関係が近代に持ち込まれる中、当初は冊封・朝貢関係が変容することはなかった（史料B）が、1880年代以降清朝が近隣諸国の内政・外交に干渉し始めるという意味で現実面が従属関係に変容し、その後、西欧や日本によって冊封・朝貢関係が停止させられ、東アジアが**条約**・

近代国際法に基づく関係に完全に組み込まれるという意味で理念面が対等な関係に変容した。ベトナムではフランスが阮朝の保護化を進める中、清朝がベトナムの宗主権を主張して軍事、外交活動を行っていたが、**清仏戦争**後の天津条約でフランスのベトナムに対する保護権を認めた。朝鮮では壬午軍乱や甲申政変に際して清朝が介入し、朝鮮への干渉を強めていたが、日清戦争後の**下関条約**で朝鮮の独立を認めた。

〈参考文献〉

- **茂木敏夫『変容する近代東アジアの国際秩序（世界史リブレット）』（山川出版社、1997）**

以前にも紹介した山川リブレットシリーズのうち、19世紀の東アジアについて扱ったものです。タイトルのとおり、本問で核となる「東アジアの国際秩序」について考える上で重要な示唆を与えてくれる一方、非常に薄く読みやすいため、ぜひ手にとってみてください。

- **川島真＝服部龍二編『東アジア国際政治史』（名古屋大学出版会、2007）**

19世紀から今日までの東アジア国際政治を扱った書籍です。編者の川島真先生は、東京書籍の高校世界史の教科書も執筆しておられることもあり、本書にも非常にためになる話が詰まっています。

●古田元夫『増補新装版　ベトナムの世界史』（東京大学出版会、2015）

中国に朝貢しながらも「皇帝」を名乗っていたベトナムが、西欧列強の進出に伴って少しずつその様子を変えていくことについて解説した1冊です。ベトナムについてはまだそこまで十分な注目が集まっていませんが、今後東大の問題で正面から聞かれる可能性もあるくらい、論点となる話が詰まっています。

第7章 近代ユーラシア・アメリカの政体変容

講義編

「近代ユーラシア・アメリカの政体変容」を問う本章の問題では、主に第4章から第6章まで触れてきた各地域の歴史の流れを、世界全体の規模でまとめ直します。まずは講義編として予備知識をお届けしますが、今までの章の復習だと思って読み進めてみてください。

まとめの軸は「政体変容」です。政体とは、大まかに言えば国家の政治の仕組みのことで、世襲の王様などが権力を持つ君主政、国民が選挙で選んだ代表が権力を持つ共和政などがあります。この政体は国によってさまざまであるのみならず、1つの国の中でも歴史上たびたび変わってきました。さらにこの時期には、今までになかった新しい国が誕生した例もあります。

ここからは、ユーラシア大陸と南北アメリカ大陸という2つの巨大な大陸に注目して、それぞれでどんな歴史が繰り広げられてきたのか、政体変容の観点から見ていきましょう。

しばらくの間、世界を席巻した君主政

政体に関する議論は、「万学の祖」とも言われる古代ギリシアの思想家・アリストテレスの頃からなされてきました。その後、「どんな政体が一番望ましいのか?」という問いは繰り返されていますが、現代に至るまで唯一の結論は出ていません。

歴史上も、よりよい政体を追い求めてさまざまな議論が起こってきたとともに、実際にさまざまな政体が各国によって実践され、そのメリット・デメリットが明らかにされてきました。

まず君主政は、近代までのヨーロッパで多く採用されました。今までに出てきたヨーロッパの国を思い出していただくと、「○○王」「皇帝○○」などという称号の人がたくさん出てきたことに気づくでしょう。つまり、ヨーロッパでは君主政をしばらくの間採用し続ける国が多かったということです。

より正確には、「ヨーロッパで君主政の国が多かった」というよりも、「世界的に共和政を採る国が少なかった」というほうがいいかもしれません。たとえば東アジアを見てみれば、中国は歴代王朝が国を治めてきましたし、日本も選挙とは関係なく決まった幕府などのトップが権力を握っていました。南北アメリカ大陸に至っては、そもそも時代が進むま

で独立すらしておらず、ヨーロッパ諸国の植民地とされていたのです。

そんな君主政のメリットを挙げるとしたら、権力者を世襲によって決めることで権力闘争を回避できる可能性があること、君主がトップダウンで国の方針を決められるため決断がスピーディーになりやすいことなどがあるでしょう。

大西洋の周縁で連続的に起こった革命

しかし、近代以降、君主政国家や植民地に住む人々の間では、「君主や一部の金持ち、宗主国（植民地を支配している国）だけが権力を独占するのは良くない」と考えられるようになっていきました。こうした考えの変遷もあって、各国では君主政から共和政への移行が徐々に進み、宗主国から独立する国も出てくるようになります。

宗主国からの独立を果たした国として一番に名前が上がるのが、私たちも良く知るアメリカです。もともとイギリスの植民地だったアメリカは、イギリスからの締め付けが強くなってきたのに対抗して自主独立を目指し、ついにイギリスとの戦争に勝利したことで独立を果たしました。

ここで、大西洋をまたぐ遠く離れた異国の地に、アメリカの独立に影響され勇気づけられた人々が現れました。その国こそフランスです。当時のフランスは、君主政の中でも王が特に強大な権力を持つ絶対王政でした。こうした上からの抑圧に耐えられなくなった民衆たちは、フランス革命を起こして絶対王政を打倒します。こうして、君主政国家ばかりだったヨーロッパにおいて、一足先に共和政への道をたどりはじめました。

さらにこのフランス革命が、再び大西洋を渡った別の地に影響します。それが南米です。実は、フランス革命のあと、ヨーロッパ諸国はさまざまな対応に追われることになりました。特に大変だったのが、フランスに現れた風雲児ことナポレオンです。馬上で凛々しいポーズを取った絵が有名な彼は、各地に侵略戦争を仕掛け、ヨーロッパを一時的に大混乱に陥れました。こうして、ヨーロッパの宗主国たちは、フランス革命の影響が自分のところにまで及んでこないかと心配するだけでも大変だったのに、そこにナポレオンへの対応が加わってしまったため、他のことに手が回らなくなってしまったのです。

これをチャンスと見た地域こそ南米でした。ヨーロッパ各国の植民地とされていた南米諸国は、フランス革命の成功にも勇気づけられ、宗主国が混乱しているすきをついてどんどん独立していきました。

このような、北米→ヨーロッパ→南米と連続的に起こっていった「革命」は、大西洋を囲む各地域における出来事であることから「環大西洋革命」とも呼ばれます（山川・詳説p217）。

第一次世界大戦が共和政の導入をさらに推し進めた

もう1つ、共和政の導入をさらに推し進めた特徴的な事件があります。それが第一次世界大戦です。今までの章で紹介した時代には、世界中を巻き込むほどの「大戦」はまだ起きていませんでした。世界初の「大戦」は、各国にさまざまな影響をもたらすことになり、その代表例こそ政体変容です。

では、なぜ戦争を経験したことによって君主政から共和政への変更が進むのでしょうか。もちろん理由はさまざまありますが、「どんな国が共和政を導入したのか」に着目すると、ある程度見えてくるものがあります。

ここでは全ては紹介しませんが、特徴的な国として、たとえばドイツとロシアを挙げることができるでしょう。

まずドイツは、もともと激しい競争を繰り広げていたイギリスに加え、フランスとロシアという2つの大国にも挟まれていたのに、その全てに戦いを挑むという少々無謀な行為に出ました。結果、他の有力な味方に恵まれなかったこともあってドイツは敗北します。この敗北が、君主政から共和政へと変わった理由の1つと言えます。「君主がトップダウンでやったからこんなことになったんだ、もっと多くの人の意見をきけ」とイメージすると分かりやすいでしょう。とにかく、戦後のドイツでは、当時の世界では最も先進的と言えるほど民主的な憲法が定められ、共和政が確立しました。

一方のロシアも、自分たちのほうに侵攻してきたドイツを追い返したのは良いものの、そこでかなりの力を使い果たし、国民の生活も困窮してしまいました。そして、「このまま戦争を続けられては困る、人々の生活も考えろ」という不満が高まっていきます。こうした人々の声が集まり、ついにロシアで革命が起こりました。その結果、君主政は打倒され、人々に選ばれた議会による共和政が導入されることになったのです。実は、ロシアではその後ソ連（ソヴィエト社会主義共和国連邦）が成立し、独裁的な政治が始まるのですが、ともかく君主政が終わったのは間違いありません。

こうして見ると、何らかの苦しみが人々による革命などを呼び起こし、その結果政体が変わるという流れは、フランス革命のときと似ていますね。ここで苦しみのトリガーとなった事件が第一次世界大戦だったにすぎません。

さて、こうしてユーラシア・アメリカ両大陸の主要な国や地域がどのように独立したか、またどのように政体を変えていったかについて見てきました。しかし、ここでは紹介できていないものの非常に重要な地域はまだまだ存在します。そこでここからは、本書刊行時点で最新の東大の問題を使って具体的に見ていきます。この年は地図も一緒に出題されているので、それも合わせて考えることでより理解が深まるはずです。

演習編

問題（2023年）

近代世界は主に、君主政体や共和政体をとる独立国と、その植民地からなっていた。この状態は固定的なものではなく、植民地が独立して国家をつくったり、一つの国の分裂や解体によって新しい独立国が生まれたりすることがあった。当初からの独立国であっても、革命によって政体が変わることがあり、また憲法を定めるか、議会にどこまで権力を与えるか、国民の政治参加をどの範囲まで認めるか、などといった課題についてもさまざまな対応がとられた。総じて、それぞれの国や地域が、多様な選択肢の間でよりよい方途を模索しながら近代の歴史が進んできたといえる。

以上のことを踏まえて、1770年前後から1920年前後までの約150年間の時期に、ヨーロッパ、南北アメリカ、東アジアにおいて、諸国で政治のしくみがどのように変わったか、およびどのような政体の独立国が誕生したかを、後の地図Ⅰ・Ⅱも参考にして記述せよ。

解答は20行以内で記述し、以下の８つの語句を必ず一度は用いて、それらの語句全てに下線を付すこと。※１行は30字。

【指定語句】　アメリカ独立革命　ヴェルサイユ体制　光緒新政　シモン＝ボリバル　選挙法改正（※イギリスにおける4度にわたる選挙法改正のこと）　大日本帝国憲法　帝国議会（※ドイツ帝国の議会のこと）　二月革命（※フランス二月革命のこと）

読解

世界全体における流れの整理が求められる

まずは、今回の問題の主要求を確認しましょう。第2段落には、「１７７０年前後から１９２０年前後までの約１５０年間の時期に、ヨーロッパ、南北アメリカ、東アジアにおいて、諸国で政治のしくみがどのように変わったか、およびどのような政体の独立国が誕生したか」とあります。時期が１５０年、場所もヨーロッパから東アジアまでと、今回はかなり広範囲に渡って考えなければならないようです。

地図Ⅰ(1815年頃)

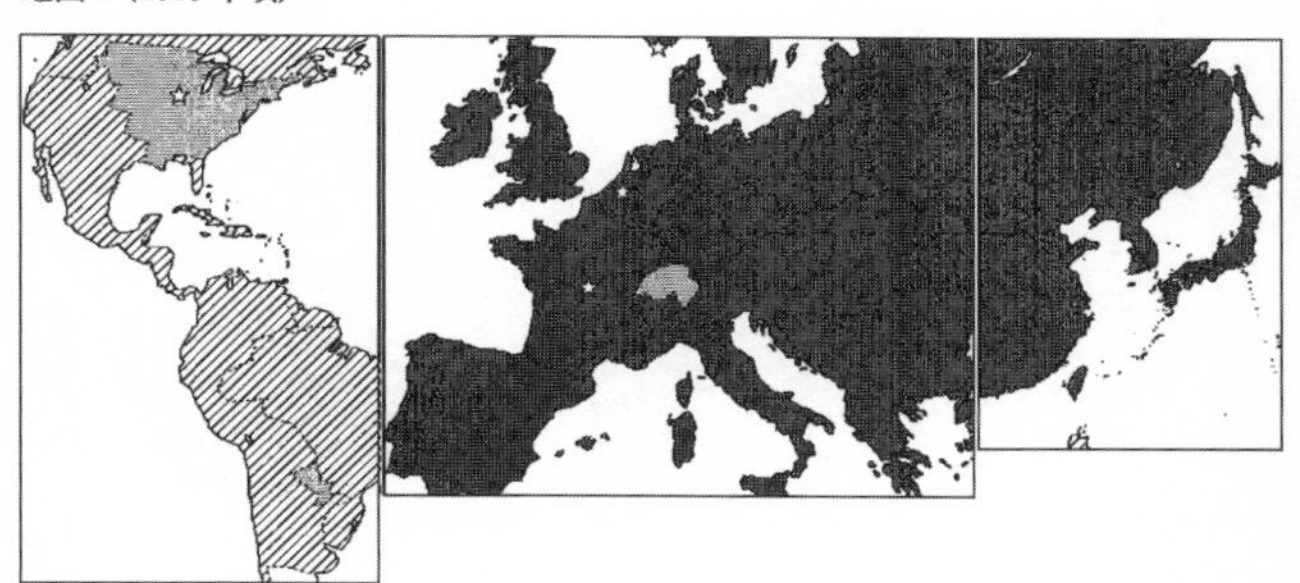

地図Ⅱ(1914年頃)

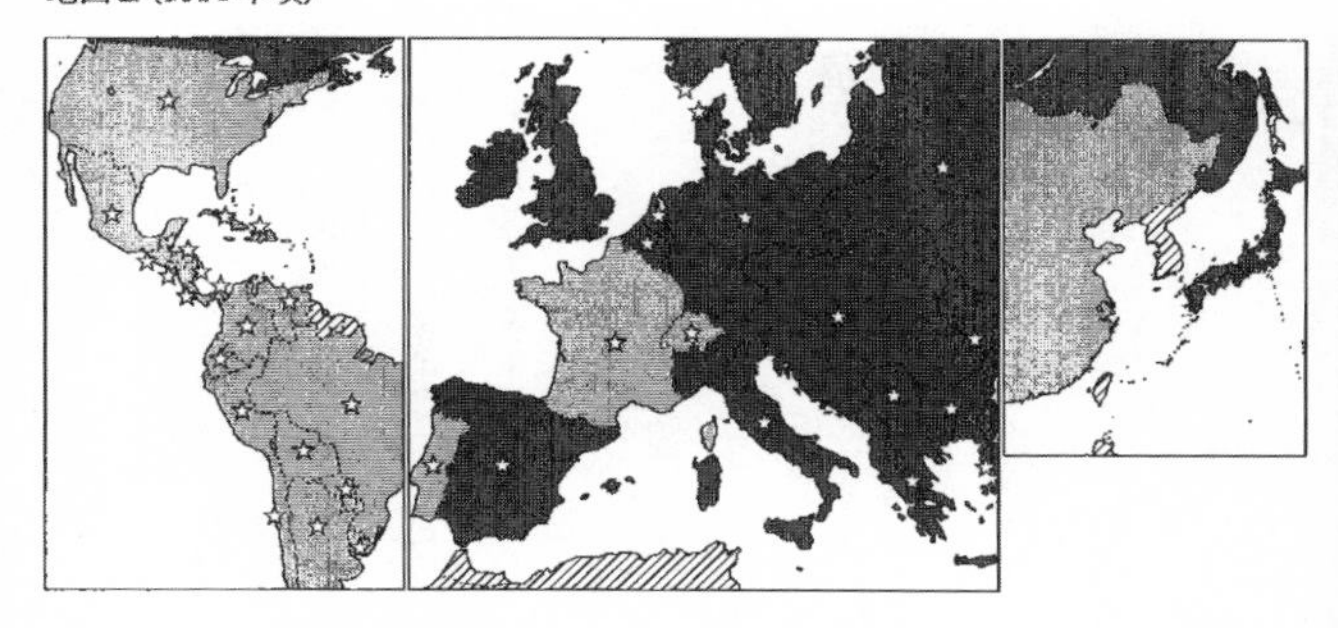

＊ ■は君主政，▨は共和政の独立国，▨は植民地。☆は成文憲法を制定した主な国。
(縮尺は図ごとに異なる)

これについて600文字以内で記述するためには、細かい話はある程度思い切って切り捨てる必要があります。つまり、100年以上に渡る世界全体の歴史について、必要事項をうまく整理して考えられるかどうかが問われているわけです。こうした意味での情報処理能力を問うてくるのも、ある種東大らしいと言えるでしょう。

また、「どのように変わったか」ですから、変化前と変化後それぞれの状態を意識する必要があります。重要な点が変化していないのなら、前の状態を維持したことに言及できると理想的です。

今回の問題を貫く軸は「政体変容」

必要事項を整理する際には、普段以上に問題文を丁寧に読んで、何を書き、何を書かないべきかを確実に取捨選択することが必要です。そこで問題文の続きを見ると、「諸国で政治のしくみがどのように変わったか、およびどのような政体の独立国が誕生したか」とあります。つまり、今回の問題では、各国・各地で政体がどのように変わったり生まれたりしてきたかが軸となります。政体やその変容については、講義編でも簡単に触れておきました。

もう少し詳しく考えるために、第1段落も見てみましょう。すると、近代世界に存在した国・地域を君主政国家と共和政国家、そしてその植民地に分けた上で、①「植民地の独立」、②「一つの国の分裂や解体による新たな独立国の誕生」、③「独立国の革命」による政体変容という大きく3パターンがあるとされています。さらにそれらは、A「憲法制定」、B「議会権限」、C「国民の政治参加」という3つの課題などによって特徴づけられると言うのです。

よって今回の問題では、約150年に渡る近代世界の各地で起きた政体変容を、その変容パターンや変容後に採った施策に注目して整理することが求められていると分かります。

地図が示されている意味を考えよう

ただし、これで終わりではありません。今回の問題で見逃してはならないのが、「地図Ⅰ・Ⅱも参考にして」です。東大が、何の意味もなく地図を掲載しているわけがないですよね。もっと言えば、問題文と

近代世界

独立国
（君主政体や共和政体）

植民地

〈政体変容・誕生のパターン〉
①植民地の独立
②一つの国の分裂や解体による新たな独立国の誕生
③独立国での革命

〈政体変容・誕生における論点〉
①憲法制定
②議会権限
③国民の政治参加

地図を合わせて読み解いたことが分かるような解答にしないと、東大の先生に「自分は地図を参考にしました」と伝えることはできません。そこで、地図の使い方と合わせて、地図を参考にしたことをどうやったらアピールできるかも考えつつ、解答を検討することにしましょう。

ちなみに、東大が第1問の大論述で地図を出してきたのは、なんと30年以上ぶりのことです。直近で地図が出たのは1992年で、この年のテーマは「南北アメリカ・東欧・東南アジアの3地域における主権国家体制の変容」と、奇しくも2023年とよく似ています。東大は、近代世界における政体・体制の変容について地域ごとの特徴を意識させるのが好きなのかもしれません。

解説

南北アメリカで一気に進んだ植民地の独立

まずは南北アメリカから見ていきます。地図を参考にしたことをアピールする方法の1つが、地図を見てひと目で分かるような地域的特徴を指摘することです。南北アメリカなら、「ほとんど植民地だったのが、1815年（地図Ⅰ）から1914年（地図Ⅱ）の間に共和政国家となった」ということが一目瞭然ですよね。あとは、①「植民地の独立」に当たるこの変化について、指定語句もヒントにしながら具体的に考えていきましょう。

アメリカ大陸で最初に大きな変革を起こしたのがアメリカです。もともとイギリスの13植民地として始まった地域は、アメリカ独立革命によって独立を果たし、A「憲法制定」をしました。それが、大統領・議会・裁判所の3つに権力を分立して国家権力の集中を防ぐ三権分立の原理を採用した合衆国憲法です。3つの機関がそれぞれ牽制しあったという意味で、B「議会権限」にも関わります。

これに続いてフランス革命が起こり、さらにその影響を受けて南米でも革命が起こるなど、体制変容・独立がこの時代に集中していたことは、講義編でもお伝えしましたね。

南米で独立運動を推進した1人が、クリオーリョ（南米生まれの白人）出身のシモン＝ボリバルです。彼らの活躍に加え、南米各地を植民地として支配していた西欧の宗主国たちが、フランス革命やナポレオンの登場によって混乱していたことも手伝って、各地で独立国が成立しました。各国の細かい事情については知らなくても大丈夫ですが、地図を見て、ほぼ全てがA「憲法を制定」したことは押さえておきましょう。

共和政を樹立しても、国民の参加は限定的

こうしてほとんどが独立を果たした南北アメリカ大陸ですが、C「国民の政治参加」についてはまちまちなところがありました。

アメリカでは、女性参政権がしばらく制限された後、19世紀を通じた運動を経て第一次世界大戦後にようやく認められることになります。詳しくは、女性から見た世界史について扱う第8章もご覧ください。

南米諸国でも、独立後に実質的な権力を握ったのは、白人の地主など、元からの有力者が中心でした。

こうした人種ごとの政治参加が特に顕著だったのがアメリカです。アメリカでは1960年代から公民権運動が起こり、黒人の権利が強く主張されるようになります。キング牧師などは日本でもかなり有名です。逆に言えば、それまでは長らく黒人の権利が制限されてきたのです。特に参政権は、州ごとにさまざまな手法によって制限されました（山川・詳説p237）。

多くが君主政を維持する中、特徴的な国も存在

続いてはヨーロッパです。ヨーロッパの地図からすぐに分かるのが、「1815年（地図I）から1914年（地図II）の間では君主政を維持しつつ憲法を制定していた」ということです。国境線こそ各地で変更されていますが、概ねこうした傾向があると言っていいでしょう。

ただし、原則があればもちろん例外もあります。その1つがフランスです。前述のとおり、アメリカ独立革命の影響も受けたフランスは、③「独立国における革命」によって政体を変えていきました。まず、18世紀末にフランス革命が起こり、一度は絶対王政が倒れます。しかしその後、フランスですぐに共和政が根付いたわけではありません。ナポレオンの登場や別の革命の発生などにより、A「新憲法の制定」や政体変容が短いスパンで何度も起こったのです。

その後、1848年に、その名のとおり再びの共和政である第二共和政が始まります。これは、社会の上層に位置するブルジョワたちが政治を事実上独占していることなどに反発した市民たちが中心となった二月革命によってもたらされました。しかし、この第二共和政も、ナポレオンの親戚であるルイ＝ナポレオン（ナポレオン3世）のクーデタによって

打倒され、またしても君主政が復活します。

ようやくフランスの政体が落ち着くのは、19世紀後半に入ってからのことでした。ナポレオン3世による対外政策の度重なる失敗などによって君主政が終わり、第三共和政が成立したのです。この時にA「第三共和政憲法」も成立し、B「議会を中心とした政治」を行うようになりました。ただし、フランスはアメリカ以上に女性参政権導入が遅く、今回の問題の範囲を超えて、第二次世界大戦末期にようやく認められることになります。

成文憲法を制定しなかったイギリス、敗戦後に民主的憲法を制定したドイツ

他に特徴的なのが、A「成文憲法」を制定しなかったイギリスです。イギリスは、古くからB「議会主権」による君主政が根付いていたため、あえて単独で文章化された「憲法典」を定める必要がなかったというのがその1つの理由です。成文憲法がないと言っても、各種法律や慣習等によって「憲法」が形作られているため、イギリスが「立憲」君主政であることには注意しましょう。

そんなイギリスでは、4度にわたる選挙法改正によって段階的にC「選挙権が拡大」されていきました。当初は社会的地位の高い一部の男性のみに認められた選挙権が、労働者等の運動によって少しずつ拡大され、ついに4度目で男性普通選挙と一部の女性への参政権付与が実現したのです。なお、女性も含めた普通選挙が実現するのは、1928年の第5次選挙法改正によりますが、今回は、「1920年前後」という時代設定からも、指定語句の「イギリスにおける4度にわたる選挙法改正」という説明からも、入らないと考えていいでしょう。

第一次世界大戦に敗れたドイツでも動きがありました。もともとドイツでは、C「男性選挙」に基づく帝国議会が運営されていました。これが、敗戦時に民主的なA「ヴァイマル憲法が成立」したのを機に、男女普通選挙による新たな議会へと生まれ変わったのです。

数多くの独立国が成立した東欧と、他と一線を画したロシア

ヨーロッパの地図を見ると分かるのが、特に東欧で国境線が増えている、すなわち多くの独立国が誕生しているということです。そして、地図Ⅱが1914年頃を指すことから、こうした変化が戦前に起こったと分かります。では、この時代には何が起こっていたのでしょうか?

鍵となったのが、オスマン帝国です。第5章で、オスマン帝国がロシアにたびたび攻め

込まれていたこと、これに乗じてイギリスやフランスの介入を招き、財政的にも厳しい状況に立たされたことはお伝えしましたね。オスマン帝国は、19世紀を通してどんどん弱体化していたのです。

その隙をついたのが、オスマン帝国の広大な領土の中に点在していたさまざまな民族です。彼らは、ギリシアを筆頭に、オスマン帝国から離れて民族として独立しようと画策しました。その結果、オスマン帝国は「帝国」としての地位をかろうじて維持しつつも、19世紀後半から20世紀にかけて、②「部分的に解体」されていきます。その結果、地図IIのように東欧で独立国が多数誕生したのです。地図から分かるとおり、これらの国々は君主政を採用しつつ憲法を制定しました。

東欧でもう1つ重要なのが、地図には出てこない変化です。指定語句の「ヴェルサイユ体制」をキーワードに考えてみましょう。ヴェルサイユ体制とは、第一次世界大戦終了後に連合国とドイツの間で結ばれたヴェルサイユ条約をはじめとする、連合国と敗戦国との間で結ばれた諸条約によって築かれた新たな国際体制のことです。その際、大きな帝国の中に組み込まれていた民族の自立・独立を促す「民族自決」の原則が唱えられました。その結果、ロシアやオーストリア（当時はオーストリア＝ハンガリー帝国という連邦国家だった）、オスマン帝国が解体されるとともに、その中にあった各種民族が国家として独立することになったのです。

こうした②「帝国解体」により、東欧では多くの共和国が誕生しました。ただし、その多くでは内紛などが絶えず、政治が安定しませんでした（山川・詳説ｐ２８５、東京ｐ３０７）。

こうした中、独自の道を歩みはじめたのがロシアです。ロシアでは、第一次世界大戦中から、勢力を拡大した社会主義勢力による革命が起こっており、帝政はすでに崩壊しつつありました。そして戦後から少し経った１９２２年、社会主義国家であるソヴィエト社会主義共和国連邦（ソ連）が、ロシアを含む４地域から成立したのです。ソ連はロシア帝国時代のものに代わるＡ「新たな憲法を制定」しましたが、基本的には独裁体制が敷かれることになりました。

各々の道に進みはじめた東アジア

東アジアには、中国・韓国・日本の３つが独立国として存在していました。これらの国は、19世紀から20世紀にかけて、それぞれが全く違った道を歩みはじめることになります。

まず日本では、明治維新によって江戸幕府（徳川家や天皇が国家元首的な立ち位置にあったという意味で君主政）が倒れた後、当時先進的とされた西洋世界に追いつくべく、憲法制定のための準備が着々と進められました。そうして完成したのが、A「大日本帝国憲法」です。ただし、この憲法制定によって日本が共和政になったわけではありません。天皇制は維持されたばかりか、「天皇大権」と呼ばれる各種の特権が憲法によって天皇に与えられ、B「議会の権限」は制限されることになりました。選挙も、第一次世界大戦後少し経ってから、普通選挙法の制定によってC「男性普選」がようやく実現したものの、女性参政権が認められるには至りませんでした。

また、この間に日本は韓国を植民地化しています。今回の問題では、植民地から独立したことが重要トピックの1つとして挙げられていますが、この時代においてその逆を行く例も存在したわけです。

一方の中国では、君主政を採る清朝の皇帝が、立憲君主政を目指した改革を進めようとしていました。この改革を光緒新政と言い、「憲法大綱」と呼ばれる憲法草案の発布にまで漕ぎつけます。しかし、西欧列強の圧力や内部の革命運動に押されたこともあって改革は失敗し、結局憲法は制定されないまま終わりました。その後、1911年には、孫文という革命家が中心となって起こした②「辛亥革命」によって清朝は打倒され、新たに中華民国という共和政国家が誕生したのです。

以上で、3地域全てについて、地図も意識しながら歴史を確認してきました。長いスパン・広大な地域でしたが、「政体変容」を軸とした大まかな流れは分かっていただけたはずです。

ここまでの内容をまとめれば、解答は完成です。

◎第7章のまとめ（解答例）

南北アメリカでは多くの植民地が独立して共和政を採った。イギリスから独立したアメリカは、三権分立を採る合衆国憲法を定め、南米諸国も、西欧で学んだ**シモン＝ボリバル**らの指導の下、革命等で動揺した本国から独立して憲法を定めた。しかし政治参加は白人男性が中心で、アメリカは大戦後に女性参政権を導入するも、黒人参政権は長く制限された。西欧では多くが君主政を保ちつつ憲法を定めた中、フランスでは、**アメリカ独立革命**の影響も受けたフランス革命で絶対王政が倒れ、数度の政体・憲法転変を経て**二月革命**で再び共和政となり、帝政を挟んで第三共和国憲法成立後は議会中心の共和政が続くも、女性参政権はないままだった。不文憲法に基づく君主政と議会主権を保ったイギリスは、**選挙法改正**を経て男性普選と女性参政権を実現した。旧憲法下で男性選挙による**帝国議会**を有したドイツは、新憲法で男女普選を導入した。東欧では、大戦前にオスマン領から君主政の独立国が、大戦後に**ヴェルサイユ体制**下で民族自決による共和国が複数誕生した。この時解体した諸帝国の内、ロシアでは社会主義を採るソ連が成立して新憲法を定めた。当初共に君主政だった東アジアの内、日本は**大日本帝国憲法**を定め、議会権限を天皇大権で制約して政体を保ちつつ、朝鮮を植民地化し、戦後に男性普選を導入した。中国では、清が**光緒新政**で立憲を目指すも、辛亥革命で共和政の中華民国が憲法を定めぬまま成立した。

〈参考文献〉

- **鈴木董編著『帝国の崩壊 下』**（山川出版社、2022）

　上下巻合わせて歴代14個の帝国について、それぞれの帝国がどのように「崩壊」していったかを見ていく書籍です。一般書に近いため、世界史をそこまで学んだことのない人でも、比較的気軽に読むことができます。本問との関係でも、ロシア帝国についての11章、オスマン帝国についての12章が参考になります。

●樺山紘一ほか編集『岩波講座 世界歴史17 環大西洋革命』（岩波書店、1997）

本章の講義編でも紹介した「環大西洋革命」をテーマに、18世紀後半からの世界について扱った書籍です。この岩波講座も、第1章でも紹介したのと同じ古いシリーズを指します。事実上の論文集のようになっており、気になる箇所だけをつまみ食いしても内容が理解できる構成になっています。本問との関連では、特に川北稔先生（大阪大学名誉教授）の執筆部分が参考になります。

第8章

男性中心の社会で活躍した女性と2つの運動

講義編

第7章では、18世紀後半から20世紀の世界について、世界各国の政治体制の変化や独立など、国家のレベルで見ていきました。ここからは、同じ時代を個人のレベルで見直していきます。

個人と言っても、ある1人の偉人に注目するわけではありません。今回のテーマは「女性」です。歴史上の女性に焦点を当てる歴史研究は「女性史」と呼ばれ、新しい歴史学の1つとして近年脚光を浴びています。最新の高校教科書でも、女性をテーマとしたコラムや特集ページが組まれるようになってきました。今や、歴史を学ぶ上で女性の視点は外せません。そこでここからは、歴史上女性がどのような立場に置かれてきたか、それがどのように変わっていったかを振り返り、女性史を問う東大世界史の問題への予習としましょう。

女性の偉人、何人思いつく？

まずは、歴史上有名な女性の偉人について、できるだけたくさん頭の中に思い浮かべてみてください。

人によっては、ジャンヌ＝ダルクやナイティンゲール、エリザベス女王（1世・2世）、マリー＝アントワネットあたりで止まってしまうかもしれません。逆に男性の偉人を思い浮かべろと言われたら、人によってさまざまな人が思い浮かぶことでしょう。

あまり思い浮かばなかった人も、ひとまず落ち込む必要はありません。なぜなら、現在の歴史教育では、これまでの歴史上活躍してきた女性についてあまり取り上げられていないからです。最新の高校教科書は、前述のとおり状況が改善されはじめているものの、登場する女性の名前はまだまだ少ないです。まして、従来の歴史教育を受けてきた人は、触れる機会が少なかった以上、すぐに思い出せなくても現時点ではある程度仕方ありません。

では、なぜ取り上げられていないのでしょうか。これにはさまざまな理由がありますが、その1つに、そもそも歴史上女性が活躍の場を与えられてこなかったことがあります。その延長として、歴史学を紡いできた学者たちも男性が中心であり、その研究・記述対象も男性に寄ってしまう傾向があったと言えるでしょう。

何も、女性に活躍する力がなかったと言いたいわけではありません。社会構造的に、女性は表立って活躍する機会を十分に与えられてこなかったのです。ここからは、女性が歴史上どのような立場に置かれてきたかを見ていきます。

近代に至る歴史で、女性はどのような立場に置かれてきたか？

近代に至る世界史において、女性は男性と比べて十分な権利を与えられず、差別や抑圧の対象となっていました。特に、第3章や第4章で説明した産業革命が進むと、それに伴って「性別役割分担」も定着していくことになります。性別役割分担とは、男女が異なった性別であるとの認識を進めて、それぞれが異なる役割を担うべきだとの考え方です。では、なぜ産業革命の進展とともにこの傾向も強まったのでしょうか？

それは、産業革命によって、仕事と家庭が分離されることになったからです。産業革命の前は、いわゆる普通の暮らしをしていた人々は、基本的な仕事は家の中で完結していました。ものづくりや農作業などは、自分の家でやるものだったわけです。しかし、産業革命が進むと、ものづくりの場は小さな家ではなく、大きな工場へと移っていきました。これにより、仕事は家の外でやるものへと変わり、仕事と家庭が分離されていったわけです。

すると、生活スタイルの変化にともなって、男女それぞれに期待される身の振り方も変わっていくことになりました。男性が家族を養うために外で働く役割を担っていたのに対し、女性は家事や子育てをする役割が一層期待されるようになったのです。こうして、女性は男性と比べて教育や仕事の機会に恵まれにくくなり、社会的な地位を高めるのも難しくなりました。実際、19世紀半ば頃になるまで、女性向けの公的な高等教育はほとんど開かれていなかったと言われています。

さらに、女性が働く機会があっても、賃金や労働条件の面で男性と比べて不利な立場に置かれることが多くありました。これは、女性の働くことに対する社会的な偏見や、仕事を家庭や子育てと両立させることが難しいという現実が影響しています。

また、女性に対する差別は、法律や制度にも表れていました。多くの国では、女性が選挙権を持たず、政治に参加する機会が与えられなかったり、財産や相続に関する制限があったりしました。

これを象徴する有名なものの1つに、「人権宣言」があります。フランス革命の際に出された人権宣言は、1条で、「人は、自由、かつ、権利において平等なものとして生まれ、生存する」と説いています。これだけだと、この世に存在するあらゆる人に自由や平等が認められているように見えますよね。しかし実際には、ここで言う「人」とは、基本的に男性を前提としていました。また、選挙権などの政治的権利を持つ「市民」も男性市民を念頭に置いており、女性は政治にかかわる権利を与えられていなかったのです。

政治に関わる権利を求め、女性が立ち上がる

この状況を打破すべく、19世紀以降、女性のさまざまな権利の獲得・向上、特に参政権を求める運動が次第に広がっていきました。こうした流れを「第1波フェミニズム」と呼ぶことがあります。

この運動が成果を上げる1つのきっかけとなったのが第一次世界大戦です。第一次世界大戦を機に女性にも参政権が認められるようになってきたのは、すでに第7章でも紹介しました。では、なぜこのタイミングだったのでしょうか?

それは、第一次世界大戦が「総力戦」と呼ばれるほど多くの人の参加を必要としていたからです。「総力」のとおり、この戦争で活躍したのは、戦場に行く男性だけではありませんでした。むしろ、国内の男性の多くが出払ってしまったことで、女性が工場や事務所で働き、戦争を背後から支えるようになったのです。こうした女性の活躍に応えるべく、戦後に女性参政権を認める国が複数現れました。

参政権が与えられれば万事解決……とはいかず、根強く残った差別や抑圧

第二次世界大戦後に国際連合が発足すると、女性の権利に対する注目はさらに高まりました（第二次世界大戦の進展やその後の世界については、続く第9章・第10章も参照）。たとえば、1948年には、国連総会で「世界人権宣言」が採択されています。ここでは、男女を含む世界中のあらゆる人々の平等な権利について宣言され、かつてフランス革命でなされた人権宣言の限界を乗り越えたものとなりました。

しかし、これであらゆる問題がすべて解決したかというと、残念ながらそんなことはありませんでした。むしろ、賃金における男女格差や、なおも女性を家庭に押し留めておこうとする風潮などは残っていたのです。

そこで、第1波に続く第2波が盛り上がることになります。「第2波フェミニズム」と呼ばれる潮流が、1960年代のアメリカから始まったのです。アメリカから世界各地へと広がった運動は、今日では、男女というくくりを超えて、性的マイノリティや民族・宗教的マイノリティなど、差別に苦しんできたあらゆるマイノリティをまとめる潮流として拡大しています。

ここまで、18世紀後半から20世紀の世界について、女性の視点からざっくり見直してきました。同じ時代でも、先の第7章の話とは印象が違って見えるところもあったのではないでしょうか。ここからはいよいよ、東大の問題を使って、より深く女性史を学んでいきます。

演習編

問題（2018年）

近現代の社会が直面した大きな課題は、性別による差異や差別をどうとらえるかであった。18世紀以降、欧米を中心に啓蒙思想が広がり、国民主権を基礎とする国家の形成が求められたが、女性は参政権を付与されず、政治から排除された。学問や芸術、社会活動など、女性が社会で活躍する事例も多かったが、家庭内や賃労働の現場では、性別による差別は存在し、強まることもあった。

このような状況の中で、19世紀を通じて高まりをみせたのが、女性参政権獲得運動である。男性の普通選挙要求とも並行して進められたこの運動が成果をあげたのは、19世紀末以降であった。国や地域によって時期は異なっていたが、ニュージーランドやオーストラリアでは19世紀末から20世紀初頭に、フランスや日本では第二次世界大戦末期以降に女性参政権が認められた。とはいえ、参政権獲得によって、女性の権利や地位の平等が実現したわけではなかった。その後、20世紀後半には、根強い社会的差別や抑圧からの解放を目指す運動が繰り広げられていくことになる。

以上のことを踏まえ、19〜20世紀の男性中心の社会の中で活躍した女性の活動について、また女性参政権獲得の歩みや女性解放運動について、具体的に記述しなさい。解答は20行以内で記述し、必ず次の8つの語句を一度は用いて、その語句に下線を付しなさい。※1行は30字。

【指定語句】　キュリー（マリー）　産業革命　女性差別撤廃条約（1979）　人権宣言　総力戦　第4次選挙法改正（1918）　ナイティンゲール　フェミニズム

読解

東大の先生の思考回路をトレースしよう

ここからはいつもどおり問題文を読み解いていきます。今回の問題文は、東大としては比較的長めであり、この文章を読むだけで女性史の要点をざっと把握できるような内容になっています。

このような問題が出題された場合には、「この問題文をどうやって肉付けしていこうか」と考えるのが重要です。東大の先生がせっかく分かりやすい「歴史の見方」を提示してくれているのですから、学習者の私たちとしては、これに乗っからない手はありません。出題者である東大の先生の思考回路や出題意図を問題文から感じ取りながら、それをトレースする意識で学んでいきましょう。

そして何より、今回の主要求は、19〜20世紀に活躍した女性の活動、女性参政権獲得の歩みや女性解放運動について「具体的に」書くことです。これは、東大からのメッセージと見ることもできます。講義編でもお伝えしたとおり、現状の高校教育では、女性の活躍・活動についての具体例の扱いがまだまだ多くありません。そんな中で東大は、抽象的な歴史の流れだけではなく、「教科書に出てきた女性の名前、女性がなした活動について、具体的に考えられるか」と問いかけているのです。

もちろん、むやみやたらと固有名詞を列挙すればいいわけではないでしょう。しかし、抽象的な枠組みや時代の流れについては、すでに東大自身が問題文でよくまとめてくれています。問題文と同じことを書いても仕方ないので、女性史について具体的な事例をイメージしながら考え抜くことが必要です。

男性中心の社会の中でも輝きを放った女性たち

今回の問題文は、18世紀以降、女性が厳しい状況に置かれてきたことの説明から始まります。

まず重要なのが政治の視点です。近現代の欧米では、教会の権威や伝統的な因習を否定し、人間の理性を中心とした合理主義的な社会を目指す思想が広まりました。これは「啓蒙思想」（「啓蒙」は英語でEnlightenmentで、無知蒙昧な民衆を理性によって照らして真理へ導くというような意味）と呼ばれ、当時の欧米社会における大きな変革の思想的土台となりました。

こうして欧米は伝統的・閉鎖的な空気感を打ち破り、自由な政治を実現したかに見えましたが、女性にとってはそうもいきませんでした。「女性は参政権を付与されず、政治から排除された」のです。①欧米社会は革命など大きな変革を経験したものの、女性は政治に参加できなかったことの具体例が、求められる1つ目の内容でしょう。

しかし、このような厳しい状況にあっても、各分野で輝きを放つ女性たちはちゃんと存在していました。今回問題文で例示されているのは、「学問や芸術、社会活動など」です。もちろん、歴史上はさまざまな分野で多くの女性が活躍しているのですが、今回は特に②

学問・芸術・社会活動のそれぞれで活躍した女性についても、後で具体的に見ることにします。

また、忘れてはいけないのが、「家庭内や賃労働の現場では、性別による差別は存在し、強まることもあった」です。当時の女性は、家庭と職場の両方で差別を経験していました（今ですら、それが完全になくなったとは言えないでしょう）。どちらか一方ではなく、③家庭内と賃労働という2つの場所それぞれでどんな差別を受けていたのか、考える必要があります。

19世紀から盛り上がった第1波フェミニズムで参政権を獲得

さまざまな面で差別を経験した女性が、厳しい状況を変えるべく特に声を上げた分野が政治でした。19世紀から20世紀にかけて盛り上がった女性参政権獲得などを目指す運動が第1波フェミニズムと呼ばれるのは、講義編でも確認しましたね。

こうした女性参政権獲得運動を考える上で重要なのが、④「19世紀を通じて高まりをみせ」、「男性の普通選挙要求とも並行して進められた」運動が、「19世紀末以降」に成果をあげたということです。これらのポイントについて、それぞれ具体的な事例について言及することにします。

さて、ここで東大は、女性参政権獲得運動について考える上で重要なヒントを出してくれています。つまり、運動の成果が現れた時期が国により異なっていたこと、特にニュージーランドやオーストラリアでは早くから女性参政権が認められた一方、フランスや日本は第二次世界大戦末期以降とかなり遅かったということです。

「一体何がヒントなんだ」と思った方もいるかも知れません。しかし、ここでまだ挙げられていない国がいくつもあることに気づいてください。繰り返しますが、問題文と全く同じことをただなぞっても意味がありません。「ここで出てきた4つ以外にはどんな国があり、それぞれどんな経緯で女性参政権が認められたんだろう」と考えましょう。そうした違いが生じた背景や理由についても考えられると、さらに良い勉強になります。

さらなる女性解放を求め、第2波フェミニズムが起こる

第2段落の最後では、参政権獲得によって全ての問題が解決したわけではなく、⑤「根強い社会的差別や抑圧からの解放を目指す運動」が繰り広げられるようになったと語られます。これが、講義編でも紹介した第2波フェミニズムです。どのようにして運動が盛り

上がっていったのか、その経緯や展開について具体的に検討していきます。

こうして、今回の問題の流れは分かったはずです。東大側が提示してくれている歴史観を上手く利用することで、問題の検討がしやすくなることが分かっていただけたでしょうか。

解説

欧米社会は、革命など大きな変革を経験したものの、女性は政治に参加できなかった

まずは、18世紀後半から19世紀にかけての欧米社会がどのような変革を経験したのか押さえましょう。

中でも特に重要なのは、これまでの問題でも少し触れてきた、フランス革命とアメリカ独立革命の2つです。


19世紀～20世紀の男性中心の社会の中で活躍した女性の活動

18世紀以降、欧米を中心に啓蒙思想が広がり、国民主権を基礎とする国家の形成が求められたが、女性は参政権を付与されず、政治から排除された。

学問や芸術、社会活動など、女性が社会で活躍する事例も多かったが、家庭内や賃労働の現場では、性別による差別は存在し、強まることもあった。

女性参政権獲得の歩み

19世紀を通じて高まりをみせたのが、女性参政権獲得運動である。

男性の普通選挙要求とも並行して進められたこの運動が成果をあげたのは、19世紀末以降であった。

国や地域によって時期は異なっていたが、ニュージーランドやオーストラリアでは19世紀末から20世紀初頭に、フランスや日本では第二次世界大戦末期以降に女性参政権が認められた。

とはいえ、参政権獲得によって、女性の権利や地位の平等が実現したわけではなかった。

→ **女性解放運動**

20世紀後半には、根強い社会的差別や抑圧からの解放を目指す運動が繰り広げられていくことになる。

啓蒙思想も基礎としながら進められたこれらの革命では、個人がそれぞれ自由や権利を持つんだと宣言するような文書が採択されました。フランス革命では人権宣言、アメリカ独立革命では（アメリカ）独立宣言です。これらの宣言においては、人々が平等に取り扱われるべきであることも強調されましたが、こうした権利や自由、平等などを享受する主体は、「性別や年齢、地位等を問わないあらゆる人々」ではありませんでした。たいていの場合、男性市民であることが権利主体たる前提とされたのです。

こうした状況に強く反発したフランスの女性が、オランプ＝ド＝グージュです。彼女は、フランスの人権宣言を模した「女権宣言」を提唱して、女性も男性と同様の権利などを享受すべきだと訴えました。これまでの学校教育では、彼女が取り上げられることはそう多くありませんでしたが、最近では、ほとんどの高校教科書でその名と功績が紹介されています。

しかし、男性中心だった当時の社会において、政治活動などを果敢に展開する彼女のような存在は敵対視され、グージュ自身も処刑されてしまいます。これが①の具体例です。

学問・芸術・社会活動のそれぞれで活躍した女性

政治面では活躍をなかなか許されなかった女性でしたが、その他の分野では、現代までその名を響かせるほど活躍した女性が多数存在しました。今回はその一例として、問題文でも言及のあった②学問・芸術・社会活動の3分野について紹介します。

まず、学問分野で非常に優れた功績を上げたのが、「キュリー夫人」の名で知られるマリー＝キュリーです。夫婦揃って科学者だった彼女は、史上初めてノーベル賞を2度、しかも物理学賞と化学賞という別部門でそれぞれ受賞するという快挙を成し遂げました。

芸術分野では、文芸・小説の分野で著名なハリエット＝ストウが挙げられます。黒人奴隷の悲惨な状況を告発した小説『アンクル＝トムの小屋』は全米でベストセラーとなり、アメリカにおける奴隷解放の風潮を刺激するほどの影響を与えました。これが後の南北戦争の一因となったことから、当時の大統領リンカンがストウに「この大きな戦争を引き起こしたのはあなたなんですね」と語りかけたという逸話があります。

他にも、作家でありながら女性解放思想の先駆者でもあったウルストンクラフトの名を挙げることができます。ただ、芸術分野と聞いて真っ先に思いつく人も多いであろう絵画や音楽の分野については、高校教科書レベルで紹介されているこの時代の人物はほとんどいません（活躍していた人自体は当然存在します）。

社会活動の分野で有名なのが、「クリミアの天使」としても有名なナイティンゲールです。彼女は、戦時医療における衛生管理の徹底や死因の統計学的分析を進めるとともに、看護職の地位を確立し、後の赤十字設立に貢献しました。「社会活動」は非常に多義的なので、他にもさまざまな人を挙げることができますが、今回は指定語句も参考にしてナイティンゲールを紹介しました。

家庭内と賃労働という2つの場所それぞれで女性が受けた差別

各方面で活躍する女性がいた一方で、多くの女性は依然として厳しい状況に置かれたままでした。政治参加への困難以外で特に顕著だったのが、③家庭内と賃労働における差別です。

まず家庭内において、女性は家庭を守る役割を期待され、家に押し込められることが多くなりました。それぞれの家庭が自宅でものを作る家内制手工業が主流だった時代には、夫も妻もともに家で働くのが「普通」でした。しかし、産業革命が進むにつれ、大規模な工場で機械を使って製品を作る工場制手工業が主流になってくると、稼ぎ手として一方が働きに行き、他方は家で家庭を守り、子育てなどに従事するようになっていったのです。

その際、工場労働などの役割を男性、家事労働などの役割を女性が担うことが多かったこともあり、女性は次第に家庭内に押し込められ、家父長たる夫に劣後するかのような地位を求められることも出てきました。このような、性別によってそれぞれ役割を分担しようという考え方を、「性別役割分業」などと言うことがあります。

また一方で、工場などで人手が足りないと、成人男性以外の女性や子供も工場で働かされるようになりました。その際、女性や子供は、劣悪な環境の中で低賃金労働を担わされることが多くあったのです（東京・総合p190）。こうして、家庭内と賃労働の両面において、女性は差別を経験しました。


「19世紀を通じて高まりをみせ」、「男性の普通選挙要求とも並行して進められた」運動が、「19世紀末以降」に成果をあげた

こうした状況の中で盛り上がっていったのが、④女性参政権獲得運動です。この運動がどこでどのように進み、どんな成果を上げたのかについては問題文がかなりヒントをくれていますから、それを最大限活用して検討することにします。

まず、どの国の話をするかを先に決めましょう。すでにお伝えしたとおり、問題文で紹介された4カ国以外にどこがあるかを考えてみてください。

実は、この4カ国には、女性参政権獲得運動を語る上で絶対に外せない2つの国が含まれていません。それが、アメリカとイギリスです。東大はこの2つを意図的に外した上で、受験生に思い出してほしいという言外のメッセージを送ったと考えてもいいでしょう。ともかく、英米それぞれについて、「19世紀を通じて」高まった運動の経緯を確認していきます。

まずはアメリカです。アメリカで女性解放運動が大きく盛り上がるきっかけとなったのが、1848年にセネカ＝フォールズというニューヨーク州の田舎町で開催された会議です。参政権を求めてこの会議に集まった女性たちは、アメリカ独立宣言をもじった「所感の宣言」を出し、その冒頭で「すべての男女は平等につくられている」と述べました。すると、この会議をきっかけとして、19世紀中盤以降、州単位で少しずつ女性に参政権が認められていくようになります（第一p202、東京・総合p190）。

その後、第一次世界大戦の後には、ついに全国的に女性参政権が認められました。これは、総力戦となった第一次世界大戦において、女性が「銃後（直接の戦闘に加わらず、軍需物資の生産などを通じて前線を支援すること）」で活躍したことに応じるためでした。

続いてはイギリスです。イギリスには、「男性の普通選挙要求とも並行して進められた」分かりやすい例が存在します。それがチャーティスト運動です。1838年頃からイギリスの労働階級を中心に進められたチャーティスト運動は、最終的には成人男子の普通選挙権などを要求するにとどまったものの、その議論過程や運動そのものには女性も参加していました。こうした運動の成果もあって、19世紀イギリスでは、3度に渡る選挙法改正によって少しずつ男性選挙権が拡大することになります。

しかし、女性参政権は19世紀のうちには実現しませんでした。こうした状況に対して声を上げた人物の1人が、功利主義者としても知られるジョン＝ステュアート＝ミルです。彼は、思想家として多大な功績を上げたのみならず、自身は男性でありながら女性参政権についても関心を示し、議会改革に尽力しました（第一p202）。さらに、過激な活動によって注目を集めた女性がパンクハースト（母・娘）です。窓への投石や放火、選挙妨害などでたびたび逮捕されながらも注目を集めた彼女たちは、「サフラジェット（急進的・戦闘的な運動を展開した女性団体のメンバーの呼称）」と呼ばれました（山川・詳説p362）。

こうした運動の影響に加え、アメリカ同様に第一次世界大戦の展開もあって、いよいよ戦後に女性参政権が認められることになります。具体的には、1918年の第4次選挙法改正で21歳以上のすべての男性と30歳以上の一部女性に（男性普通選挙・一部の女性参政権）、1928年の第5次選挙法改正で21歳以上のすべての男女に（男女普通選挙）参政権が認められました。

他にも重要な国はいくつかありますが、運動が「19世紀を通じて高まりをみせ」、それが女性参政権という成果に結びついたと言える国としては、たとえばドイツが挙げられます（逆に他の国では、19世紀を通じた運動の高揚があまりみられなかったり、女性参政権が運動の直接の成果とは必ずしも言えなかったりすることがあります）。

ドイツでは、今までに挙げた国に比べると本格的な運動開始が遅れたものの、1902年には女性参政権協会が結成されました。そして、第一次世界大戦末期に始まったドイツ革命の際に女性参政権が導入されたのです。戦後ドイツが採用したワイマール憲法は、男女普通選挙を認めた非常に民主的な憲法として、国際的に注目を集めました。

「根強い社会的差別や抑圧からの解放を目指す運動」が繰り広げられるようになった

最後に、いわゆる第2波フェミニズムについて触れたら、この問題は終わりです。

重要なのは、女性参政権だけで全てが良くなったわけではなく、各方面で差別や抑圧が残り続けていたこと、それに対処すべく新たな運動が起こったことです。

この新たな波は、アメリカから始まりました。当時のアメリカの女性には、依然として家庭に拘束されている人が多く、妻や母としての役割が強く期待される現状が残っていました。そんな中で、ジャーナリストのベティ＝フリーダンが女性にかかる社会的圧力を分析した『新しい女性の創造』を著し、これがベストセラーとなります。

さらにこの時期には、黒人の権利を求める公民権運動や、ベトナム戦争が泥沼化して終わりが見えなくなったことをきっかけとした反戦運動、60年代後半から日本を含む世界各地で盛り上がった学生運動など、社会を揺り動かす運動がアメリカ各地で起こっていました。これらの運動と連動する形で、女性を社会的抑圧から解放しようとする運動が進むようになったのです。これが女性解放運動（women's liberation movement）で、（狭義の）フェミニズム運動とも呼ばれます。

この運動と並行して生まれたのが、生まれつきの身体的特徴等に基づく生物学的な性別（セックス）に対するジェンダーという認識です。一般にジェンダーとは、社会的・文化的につくられる性別のことを指す言葉で、性別に関する問題が生来のものではない、後付けでつくられた解決可能なものだとの位置づけから生まれたとされます。こうした捉え方の変化は、問題文1文目の「近現代の社会が直面した大きな課題は、性別による差異や差別をどうとらえるかであった」とも対応する事実です。

1960年代から盛り上がったフェミニズム運動は、次第に世界各地に広がっていき、性差に関わる社会的問題を制度的に解決する試みが見られるようになりました。たとえば、国連総会では1979年に女性差別撤廃条約が採択され、これに応じて各国もジェンダー平等を目指した取り組み、ルール作りを進めていきました。日本では、1985年に男女雇用機会均等法が、1999年には男女共同参画社会基本法が成立するなど、雇用をはじめとする社会活動における男女平等を目指した法律が制定されています。

以上で、今回の問題の検討が終わりました。今回の問題を通して、東大が提示してくれた問題意識・歴史観に肉付けしていく形で考えることで、女性史についての確かな見方を学習できたはずです。

◎第8章のまとめ（解答例）

ここまでの内容をまとめれば、解答は完成です。

欧米で拡大した啓蒙思想はフランス革命等を準備したが、**人権宣言**や独立宣言における「平等」は男性市民のみを前提とした。グージュはこれを批判したが、当時政治に介入する女性は敵対視され、彼女自身も処刑された。ノーベル賞を2度受賞した**キュリー**や、小説で奴隷解放の風潮を刺激したストウ、看護職の確立や赤十字の拡大に貢献した**ナイティンゲール**等、各分野で活躍した女性も多い。しかし、**産業革命**による工業化進展に伴い、女性は家庭を守る役割や劣悪な環境での低賃金労働を担わされた。この中、アメリカでは、セネカ=フォールズの大会を機に州単位で女性参政権が広がりだし、**総力戦**となった第一次世界大戦における女性の軍需生産協力への応答として、憲法修正条項で全国的に認められた。イギリスでも、男性普選等を求めるチャーティスト運動に女性も参加した後、ミルの女性参政権提唱や、パンクハースト主導の過激な運動を経て、**第4次選挙法改正**で男性普通選挙と部分的な女性参政権が、第5次改正で男女普通選挙が実現した。運動開始が遅れたドイツでも、ドイツ革命の際に女性参政権が導入された。その後、女性解放や社会進出を求め、アメリカで公民権運動や学生運動と共鳴して**フェミニズム**運動が始まり、生物学的性に対するジェンダーという認識も生まれた。国連で**女性差別撤廃条約**が成立して以降は各国でジェンダー平等の制度化が進み、日本でも男女雇用機会均等法等が成立した。

〈参考文献〉

●三成美保・姫岡とし子・小浜正子編『歴史を読み替える　ジェンダーから見た世界史』（大月書店、2014）

高校世界史のカリキュラムに沿いつつも、ジェンダー視点から内容を再構成したことで新たな歴史観を獲得できる書籍です。東大教授も執筆・編集に携わっており、今回の問題について真剣に検討するなら不可欠とも言えるほどよくまとまっていて、内容も専門的すぎないので、高校生にも強くおすすめします。

●弓削尚子『はじめての西洋ジェンダー史』（山川出版社、2021）

最近刊行された、西洋におけるジェンダーの歴史について分かりやすくまとめた1冊。『ジェンダーから見た世界史』は高校世界史に沿って世界各地の歴史をまんべんなく扱う一方、こちらは西洋を中心に、「家族史」や「軍事史」などの具体的なテーマに関する議論を紹介しています。

第9章

第二次世界大戦中に生じた出来事が、1950年代までの世界に与えた影響

講義編

第7章と第8章では、第一次世界大戦を含む20世紀前半について主に見てきました。1914年から始まった第一次世界大戦は、各国の政治体制の変容を招いたり、女性の参政権獲得を後押ししたりと、世界史に大きな変化をもたらしてきました。「世界大戦」の名は伊達ではありません。

そして、第一次があるなら第二次もあり、第二次世界大戦も第一次同様、いや、それ以上に大きな変化をもたらすことになりました。本章の問題が求めるのはまさに「第二次世界大戦中の出来事が1950年代までの世界に与えた影響」です。

問題を見る前に、まずは第一次・第二次世界大戦が起きた原因を振り返りつつ、第二次世界大戦中に起きた出来事がその後の世界にどんな影響を与えたのか、簡単におさらいしましょう。

そもそも第一次世界大戦はなぜ起こった?

第二次世界大戦の影響について考える前に、そもそもなぜ世界大戦が2度も起きてしまったのか、その原因についてそれぞれ押さえておきましょう。

1914年から始まった第一次世界大戦は、主にヨーロッパを戦場として進みました。この戦争が起こった原因はいくつかありますが、ここでは3つの大きな理由を紹介します。

1つ目は、列強と呼ばれた大国同士の対立です。19世紀後半から20世紀初頭にかけて、ヨーロッパの国々はお互いに競争していました。イギリスやロシアを中心に大国が対立していたのは、第4章・第5章でお伝えしたとおりです。大国同士が植民地の獲得などのために海外進出を目指して競い合った政策のことは「帝国主義」と呼ばれ、これが大戦争を引き起こした原因の1つとなりました。

2つ目が、民族の対立です。特に難しい問題が生じていたのが、第5章でも紹介したバルカン半島です。ここには、スラブ系、ゲルマン系などと呼ばれる多様な民族が入り混じって暮らしており、それぞれの民族が自立・独立を目指した民族運動を起こしていました。さらに、そこに列強の利害対立が絡んできます。ヨーロッパにとって、バルカン半島は地政学的にも重要な地域であり、各国は、民族運動を利用する形でバルカン半島に介入していたのです。さまざまな思惑が複雑に絡み合い、一触即発となったバルカン半島は、「ヨーロッパの火薬庫」と呼ばれました。

3つ目、戦争の直接の原因となったのがサラエボ事件です。1914年6月28日、オーストリアの皇太子がセルビア人青年に暗殺されたのをきっかけに、オーストリアがセルビアに宣戦布告して戦争が始まりました。その後、同盟国同士が次々と戦争に参加し、世界中に広がっていったことで大規模な戦争となったのです。

第一次の反省もむなしく、第二次大戦が起きてしまう

第一次大戦の後、各国は反省し、二度とこのような戦争を起こしてはならないと考えてさまざまな対策を練りました。その1つが、史上初の国際平和機構である国際連盟です。大国同士が対立し、それぞれの陣営に分かれた結果第一次大戦が起こったことの反省から、多くの国家がまとまって1つの組織を作って協力し合うことで、対立を予防しようとしたわけです。

実際、国際連盟は紛争の予防を含むさまざまな問題にある程度対処しました。しかし、大国アメリカが参加しなかったことや、原則として全会一致制を取ったことなどから、そ

の活動にはどうしても限界があったのです。結果、第二次世界大戦が起こってしまいます。

まず、第一次で残された傷跡が第二次世界大戦を引き起こしたことは否めません。第一次世界大戦で敗北したドイツは、戦勝国から非常に厳しい制裁を受けました。特に大変だったものの1つが賠償金で、その総額は1320億金マルク、現在の日本円にして約200兆円です。ただでさえ戦争に負け、戦場となった各地が荒れ果てていたドイツにとって、こんな大金は払えるはずもありませんでした。こうした状況の中、ドイツ国内では不満が高まり、状況を打開してくれるような強力なリーダーを求めるようになりました。その結果台頭したのが、アドルフ・ヒトラー率いるナチ党だったというわけです。

ヒトラーは、ドイツを強くし、領土を広げることを目指していました。彼は次々と周辺国に侵攻し、領土を拡大していきました。同じ頃、日本やイタリアでも同じような勢力が台頭して独裁的な体制を築き、他国へと積極的に侵攻する姿勢を見せました。日独伊の3国は同盟関係を結び、国際情勢は緊張が高まっていきます。そしてついに、1939年9月、ドイツがポーランドに侵攻したのを機に戦争が始まりました。

国際連盟の反省を生かして設立された国際連合

第二次世界大戦は、数多くの国々が関与し、多くの犠牲者を出した悲劇的な出来事でした。戦争が終わった後、世界は新たな秩序を築くために努力し、それが1950年代までの世界のあり方に大きな影響を与えました。

まず、今度こそ同じような戦争を引き起こすまいと、国際社会は平和と安全保障の重要性を再認識しました。その結果設立されたのが、現在まで存在している国際連合です。国際連盟の際の失敗を活かすべく、当時の大国だったアメリカ・イギリス・ソ連・中国を含む多くの国が参加するとともに、総会では一国一票の原則に基づく多数決方式が採用されました。国際連合は、今に至るまで、国際紛争の解決や人道支援など、世界の平和と安定に貢献する活動を行っています。新型コロナウイルスの拡大に際しても、感染拡大を抑えるべく、国連の各機関が活動していたのは記憶に新しいでしょう。

こうした国際連合の設置が比較的スムーズに進んだ理由の1つは、「戦争が終わったら世界をこうやって平和にしていこう」という構想が、戦争中からすでに議論されていたからです。アメリカやソ連などは、難局を乗り切ってある程度余裕が出てきて以降、何度も会談を行い、戦後の世界構想について話し合っていたのです。入念な準備が、国際連合などとして実ったわけですね。

国際連合ができてめでたしめでたし……とはいかず

しかし、国際連合ができたからと言って、その後の世界は何事もなく平和に向かっていったでしょうか？　むしろそうでないということは、現代の私たちが一番よく知っているでしょう。特に大きかったのが、アメリカとソ連という2つの大国が強烈に対立したことと、各地の民族運動が国連などでは清算しきれずに残ってしまったことです。そして、こうした問題の火種は、実は第二次世界大戦中からすでに存在していたのです。

では、具体的にどのような火種があり、それは戦後の世界でどのように発現していったのでしょうか。東大の問題を検討しながら見てみましょう。

演習編

問題（2005年）

人類の歴史において、戦争は多くの苦悩と惨禍をもたらすと同時に、それを乗り越えて平和と解放を希求するさまざまな努力を生みだす契機となった。

第二次世界大戦は1945年に終結したが、それ以前から連合国側ではさまざまな戦後構想が練られており、これらは国際連合など新しい国際秩序の枠組みに帰結した。しかし、国際連合の成立がただちに世界平和をもたらしたわけではなく、米ソの対立と各地の民族運動などが結びついて新たな紛争が起こっていった。たとえば、中国では抗日戦争を戦っているなかでも国民党と共産党の勢力争いが激化するなど、戦後の冷戦につながる火種が存在していた。

第二次世界大戦中に生じた出来事が、いかなる形で1950年代までの世界のありかたに影響を与えたのかについて、17行以内で説明しなさい。その際に、以下の8つの語句を必ず一度は用い、その語句の部分に下線を付しなさい。なお、EECに付した（　）内の語句は解答に記入しなくてもよい。※1行は30字。

【指定語句】大西洋憲章　日本国憲法　台湾　金日成　東ドイツ　EEC（ヨーロッパ経済共同体）　アウシュヴィッツ　パレスチナ難民

読解

現代世界に大きな影響を与えた第二次世界大戦

いよいよ世界史も大詰め、第二次世界大戦とそれに続く現代史までやってきました。私たちが生きる今の世界にも直結する歴史について、うってつけの問題を使って見ていきます。

この問題の主要求は、「第二次世界大戦中に生じた出来事が、いかなる形で1950年代までの世界のありかたに影響を与えたのかについて」考えることです。

まず、1950年代までの世界のあり方がどのようなものだったのかを考える必要があります。ゴールが分からなければ、そこまでの道のりについて考えることもできませんからね。

続いて、ゴールたる世界のあり方に影響を与えた第二次世界大戦中の出来事に目を向けましょう。ここで重要なのが、考えるべきは第二次世界大戦「中の」出来事であって、開戦前の話や、終了して以降の話は含まれないということです。第2段落の冒頭で「大戦は1945年に終結した」とあるので、それまでのことを考えればよいでしょう。いずれにせよ、検討する範囲を明確に意識しておくことが重要です。

最後に、大戦中の出来事が「いかなる形で」影響を与えたか、その後の出来事にどうつながっているのか、しっかり説明できる必要があります。そのためにも、これから考えを深めていきましょう。

戦争には2つの側面がある

主要求が読み取れたところで、リード文の読解に移りましょう。1段落目は、戦争に2つの側面があることが語られています。すなわち、戦争は多くの悲劇をもたらすと同時に、平和を希求する努力を生み出す契機ともなったということです。この2つの側面をそれぞれ意識する必要がありそうです。

続いて2段落目では、大戦中に起きていたことと大戦後に起きたことのそれぞれが語られています。これは、大戦中に生じた出来事が、1950年代までの世界のあり方に与えた影響の例として捉えられます。最初に出てくる例が、大戦中に練られていた戦後構想が、戦後に国際連合などの成立に帰結したことです。これは、1段落目で確認した2つの側面のうち、平和の方向に向かう動きと言えますね。

しかし、その後の文では、世界が直ちに平和になったわけではないことが語られています。すなわち、「米ソの対立と各地の民族運動などが結びついて新たな紛争が起こっていった」のです。この部分は、大戦中に生じた出来事を指すのか、それとも、1950年代までの世界のあり方を指すのか、判断が難しくなっています。ただ、「国際連合の成立がただちに世界平和をもたらしたわけではなく」という、明らかに戦後の出来事を指す話の直後に書かれているので、1950年代までの世界のあり方を指すと考えてよいでしょう。すると、ここでは大戦中に生じた出来事が書かれていないことになるので、その内容を自分で考える必要が出てくるわけです。

続けて、中国が抗日戦争を戦っているなかでも国民党と共産党の勢力争いが激化しており、これが戦後の冷戦につながったということが書かれています。これは、大戦中の出来事が大戦後の世界に影響した、という流れの例になっています。すなわち、国民党と共産党の争い（国共内戦）が大戦中の出来事、冷戦が戦後の出来事です。前者の国共内戦は、1段落目で確認した2つの側面のうち、解放の方向に向かう動きと言えます。また、後者の冷戦は、先ほどの「米ソの対立と各地の民族運動などが結びついて新たな紛争が起こっていった」という部分に対応しています。

以上で問題文の確認が終わりましたので、ここからは指定語句も参考にしながら、大戦中にどんな出来事が起き、それが1950年代までの世界のあり方にどう影響したか、詳しく検討することにしましょう。

解説

大戦中、すでに勝ったあとの話をしていた連合国

アメリカなどを中心とする連合国は、日本やドイツなどの枢軸国との決着がつく前から、戦後の世界をどのようにしていくか、早くもその構想を練っていました。こうした動きの最初とも言えるのが、アメリカとイギリスが会談の末に発表した大西洋憲章です。将来の世界のより良い民主主義のための共通原則として出されたこの大西洋憲章は、連合国に共通する原則となっていきました。

ここで示された大枠は、その後、大戦末期にたびたび行われた国際会議によってさらに具体化されていくことになります。中でも有名な1つが、ドイツの分割管理や国際連合の設立などについて話し合われたヤルタ会談です。

その結果、当時検討されてきた組織的な大枠を実現する形で、戦後に国連や国際通貨基金（ＩＭＦ）などが成立することになりました。また、戦時中の会議で同時に検討されていた、敗戦国の処理についても、戦後に進められていきます。たとえば日本では、戦争犯罪者を裁く裁判や民主化が連合国主導で実施されるとともに、日本国憲法も制定されることになりました。

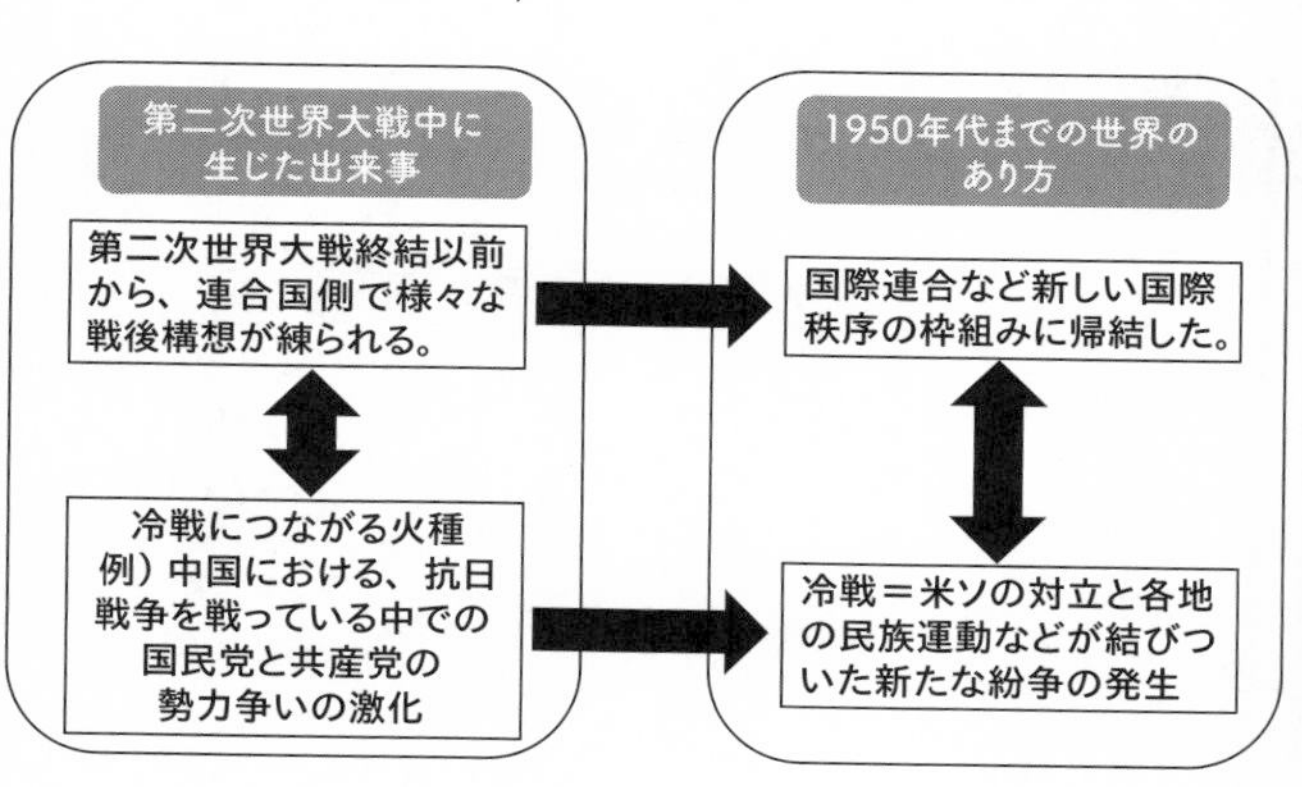

大戦後ただちに訪れたわけではなかった世界平和

しかし、これで世界が平和になったわけではないことは、リード文でも確認したとおりです。むしろここから、米ソを頂点とする東西対立が本格化することになります。その主な原因は、主戦場となった西欧諸国や日本などが疲弊し弱体化してしまったことです。これによって、アメリカとソ連が2トップとして台頭することになっていきます。また、それまでは日本やドイツなどのファシズムを共通の敵とみなし、「敵の敵は味方」として協力していられたのが、共通の敵を失ったことで、自由主義と共産主義という2つの主義に分かれて対立していったのです。

また、もう1つ重要なのが、リード文でも言及されていた民族運動などです。第二次世界大戦以前、西欧列強の植民地となっていたアジアを中心とする各国では、戦争によって本国が疲弊している中で、民族自決と政治的な独立を求める「脱植民地化」の動きが広まっていきました。こうした独立運動は、各国の中での内戦や、東西対立と結びついた「熱戦」を生じさせることになります。「熱い戦い」とは、直接の軍事対立がないことから「冷たい戦争」と称された冷戦期間中にもなお起きていた対立・紛争を指した言葉です。

ヨーロッパにおける東西対立の深化

まずは、ヨーロッパにおける東西対立が形成され、深化していったことについて見ていきましょう。

第二次世界大戦末期、アメリカとソ連はそれぞれ国際会議に何度も出席し、戦後世界のあり方について対話を重ねていました。しかし、この時点ですでに、両者の見解には相容れない部分があったのです。それが、大戦終了後、ファシズムという共通の敵を失ったことで対立が表面化したと紹介した、自由主義と共産主義です。

第二次世界大戦中、ソ連は、ドイツを打倒する上で中心的役割を果たすとともに、戦時中から戦後にかけて、ナチ等の支配から東欧を解放し、その影響下に組み入れていきました。その結果、東欧では共産党主導の社会主義国家が相次いで成立するとともに、西欧においても社会民主主義などを唱える政党が躍進することになります（東京p333－334）。

これを危惧したのがアメリカです。自由主義を掲げるアメリカとしては、これ以上共産主義のソ連の影響力が広まっては困ります。そこでアメリカは、自由主義を支援し、ヨーロッパのこれ以上の共産化を防ごうとする姿勢を表明しました（トルーマン＝ドクトリン）。

すると、こうしたアメリカの動きに対応する形で、ソ連も共産主義陣営を囲い込むような姿勢を見せはじめました。こうして、ヨーロッパで東西対立が形成されていきます。

その象徴の1つが、ドイツの東西分裂です。もともと米英仏ソの4カ国で分割統治していたドイツは、東西両陣営の思惑に振り回され、ベルリンを中心に東西の分断が進んでいったのです。そしてついに、1949年9月には西側にドイツ連邦共和国（西ドイツ）が、同年10月にはドイツ民主共和国（東ドイツ）が成立して、ドイツは完全に分断されてしまいました。

しかし、分裂したうちの西ドイツは、アメリカの思惑もあって西側のヨーロッパに組み込まれ、各国とともに急速な復興を遂げることになります。しばらくはアメリカに支援される立場に甘んじていたヨーロッパは、もともと工業国だったドイツが加わったこと、ヨーロッパ各国が経済的に協力するための機構の設立に乗り出したことで、次第にその勢いを取り戻していきます。こうした中でできた機構の1つがEEC（ヨーロッパ経済共同体）です。

直接的な対立が目立ったアジア圏

分断や条約等による間接的な対立が目立ったヨーロッパに対し、アジア圏では、各地で直接的な対立が発生していました。

まず注目すべきが、現代まで続くパレスチナ問題の発端となるような対立です。第二次世界大戦中、ユダヤ人がナチによって激しく迫害され、アウシュヴィッツ等でその多くが虐殺されたことはご存じでしょう。こうした迫害の反動や、イギリスが継続していたパレスチナ地方の委任統治が戦後に終了したことなども受けて、パレスチナではシオニズム運動が加速し、新たにイスラエルが建国されることになりました。しかし、戦前から戦時中にかけて独立を進めていたアラブ諸国はこれを認めることができず、両者は激しく対立するようになります（東京p343-344、帝国p318）。こうした対立が表面化したのが、その後第4次まで続くことになった中東戦争です。当時パレスチナで暮らしていたアラブ人たちは、第1次中東戦争に勝利したイスラエルによって追い出されることになり、多くの人々がパレスチナ難民となったことで国際問題にまで発展しました。

中国では、リード文でも言及があったとおり、日本との戦争中、すでに国内で対立が生じていました。それが、国民党と共産党との対立です。両者の対立は、日本という共通の敵がいる間は一時休戦状態になっていましたが、第二次世界大戦が終わったことで再び激化します。こうして始まったのが国共内戦です。その結果、大陸側では共産党が中華人民共和国を、台湾では国民党が中華民国を、それぞれ樹立しました。両者が今でも緊張関係にあることは、現代に生きる私たちがよく知っています。

最後に重要なのが朝鮮半島の状況です。朝鮮半島は、大戦末期に米ソ両国によって分割占領されることが決まりました。その結果、北部には、金日成によって、ソ連が支持する北朝鮮が建国されることになります。一方の南部には、李承晩によって、アメリカ等が支持する韓国が建国されました。両者は、それぞれの支持者である米ソの対立に巻き込まれるかたちで朝鮮戦争を戦うことになり、南北分断は深刻なものとなりました。現在に至っても、両者は「休戦」状態で、完全に戦争が終わったわけではありません。

以上で解説は終わりました。第二次世界大戦中の出来事が１９５０年代の世界にどう影響してきたか、という視点から現代史を見つめ直すことで、歴史理解がぐっと整理されたのではないでしょうか。

ここまでの内容をまとめれば、解答は完成です。

◎第9章のまとめ（解答例）

連合国は**大西洋憲章**で戦後国際秩序の大枠を示した後、大戦末期の一連の国際会議でそれを具体化していった結果、戦後に国連やIMF等が成立した。また、戦犯裁判や民主化、日本での**日本国憲法**の制定等、敗戦国の処理がなされた。しかし、西欧諸国・日本の弱体化やファシズムの打倒により、それぞれ自由主義、共産主義を掲げる米ソを頂点とする東西対立が生じた。また、支配国の不在やナショナリズムの高揚を契機とする脱植民地化に伴う内戦や、東西対立と脱植民地化の交錯による熱戦が生じた。ヨーロッパでは、ドイツが西・**東ドイツ**に分断され、また、ヨーロッパ全体も条約締結や組織設立を通じて東西に分断され、西側では**EEC**等が設立された。パレスチナでは、**アウシュヴィッツ**等でのユダヤ人虐殺でシオニズム運動が加速し、イスラエルが建国されたが、中東戦争が勃発し、**パレスチナ難民**が生まれた。中国では、戦中の国共対立が戦後内戦に発展し、その結果、大陸で中華人民共和国が建国された一方、**台湾**では中華民国が建国され、両者が対峙する状況が続いた。米ソに分割占領された朝鮮では、米ソ対立を背景に建国された李承晩の韓国と**金日成**の北朝鮮とで朝鮮戦争が生じ、南北分断が固定化された。

〈参考文献〉

●小川浩之ほか著『国際政治史（有斐閣ストゥディア）』（有斐閣、2018）

国際政治史という分野の入門書です。ストゥディアシリーズはページ数が少なく、しかも内容も初歩的なところまで噛み砕いて解説してくれるため、歴史、特に政治史の初学者にこそおすすめできる1冊となります。今回は、ここから「思考法」の核になりそうな部分を解答例作成の際の参考としました。高校生でも無理せずチャレンジできるレベルになっているので、関心のある人はぜひ読んでみてください。「国際政治史」というテーマで世界史を捉えてみることで、新たな気づきが得られるはずです。

第10章

1970年代後半から1980年代にかけての、東アジア、中東、中米・南米の政治状況の変化

講義編

第9章では、第二次世界大戦がその後すぐの世界に与えた影響について見てきました。大きな戦争が、その後の世界にさまざまな影響をもたらすことが分かっていただけたのではないでしょうか。

本書の最後となるこの章では、戦後長きにわたって続いてきた冷戦とその終焉について扱います。その名のとおり、冷戦も「戦争」の1つであり、その成り行きは、私たちが生きている現代の世界にまで強い影響を持っています。問題文には東大ならではの視点が垣間見えるわけですが、その前にまずは基礎事項をおさらいしておきましょう。

冷戦はどのように進んだか?

冷戦とは、アメリカとソ連という2つの大国を中心とした東西陣営による争いのことでしたね。ヨーロッパではドイツを含むヨーロッパ全体が東西に分断されたこと、アジアでは南北朝鮮が朝鮮戦争で争ったことなどは、第9章の演習編でお伝えしました。では、すでに激しくなりつつあった冷戦は、その後どうなったでしょうか？

1990年ごろまで続く冷戦は、東西両陣営の緊張と緩和を繰り返しながら進んでいきました。冷戦開始によって高まった緊張は、朝鮮戦争の休戦や、ソ連で長らく強権を振るってきた独裁者スターリンの死去もあり、一時的に落ち着きを見せます。

しかし、この緊張緩和は長くは続きませんでした。発端となったのが、暗殺されたことでも有名なケネディのアメリカ大統領就任です。彼がソ連に対して強硬な姿勢を示し、これに対抗する形で東側陣営がベルリンの壁を築いたことで、両者の関係は再び緊張してしまいました。

その緊張の頂点で起きたのが、キューバ危機と呼ばれる事件です。これは、カリブ海に浮かぶ島国・キューバに攻撃用ミサイルが設置されたことで始まりました。実は当時、キューバはアメリカと激しく対立しており、アメリカに対抗するための強力な武器を求めていました。これをチャンスと見たソ連が、ミサイル設置を進めたのです。

この動きを察知したアメリカは驚愕しました。キューバはフロリダにほど近く、もしキューバにソ連のミサイルが設置されれば、本国まで攻撃が届いてしまうことになるからです。アメリカは猛然と抗議し、両国は一触即発のところまで迫りました。あと一歩で「第三次」が始まってしまうかに見えましたが、すんでのところで両者は歩み寄り、大惨事は回避されました。

このあと両国は、「雨降って地固まる」のごとく、再びの緊張緩和に向けて歩みはじめました。その1つの例が「軍縮」です。アメリカとソ連はお互いに話し合いを行い、核兵器の数を減らすことに合意しました。核戦争が目前に迫り、いよいよ現実味を帯びたことで、「本当に戦争したら地球ごとなくなってしまう」と危機感を覚えたがゆえの対応でしょう。

長かった冷戦もようやく終結へ

ここではまだ終わらなかったのが冷戦の厄介なところです。1980年代初めには、アメリカで新たにレーガン大統領が就任しました。彼は俳優出身の大統領で、「スターウォーズ計画」と称される派手な軍事構想を掲げるなどして、ソ連に対して厳しい姿勢を示しました。

この時期の対立を象徴する出来事が、オリンピックのボイコットです。当時開催されたモスクワオリンピックと、それに続くロサンゼルスオリンピックは、それぞれ多くの国にボイコットされました。特にモスクワオリンピックは、参加88カ国に対し不参加66カ国と、相当数がボイコットしています。近年では、国家ぐるみでドーピングを行ったとされるロシアの選手団が除外されていましたが、これだけ多くの国がオリンピックをボイコットするとは、相当の事態だと分かりますよね。

この最後の緊張は、ソ連の指導者が交代し、アメリカもそれに応えたことをきっかけにようやく緩和され、冷戦は終結へと向かいます。１９８９年には、東西ドイツの分断を象徴していたベルリンの壁が崩れ、１９９１年にはソ連が崩壊してロシアが誕生したことにより、冷戦はついに終わりました。

冷戦終結が世界全体を新たな時代へ向かわせるきっかけとなった……かに見えた

では、冷戦の終結が世界全体でターニングポイントとなったかというと、必ずしもそうは言えない面があります。それもそのはず、冷戦はあくまでアメリカとソ連という大国を中心とした「冷たい戦争」であって、その裏では、世界各地の国や地域が政治体制を転換したり、紛争を繰り広げたりしていたわけです。そういう国や地域にとってみれば、冷戦とその終結はあくまで1つのきっかけに過ぎません。むしろ、冷戦が盛り上がる真っただ中で、世界全体から見ればささやかな、しかし非常に重要な変化が起きていたのです。

キーワードとなるのは、「自由民主主義」と「宗教・民族対立」です。これを念頭に置きつつ、東大の問題を使ってさらに深く掘り下げて見ていきましょう。

演習編

問題（2016年）

第二次世界大戦後の世界秩序を特徴づけた冷戦は、一般に1989年のマルタ会談やベルリンの壁の崩壊で終結したとされ、それが現代史の分岐点とされることが少なくない。だが、米ソ、欧州以外の地域を見れば、冷戦の終結は必ずしも世界史全体の転換点とは言えないことに気づかされる。米ソ「新冷戦」と呼ばれた時代に、1990年代以降につながる変化が、世界各地で生まれつつあったのである。

以上のことを踏まえて、1970年代後半から1980年代にかけての、東アジア、中東、中米・南米の政治状況の変化について論じなさい。解答は20行以内で記述し、必ず次の8つの語句を一度は用いて、その語句に下線を付しなさい。※1行は30字。

【指定語句】 アジアニーズ（※アジアの新興工業経済地域（NIES）のこと） イラン＝イスラーム共和国

グレナダ　光州事件　サダム＝フセイン　シナイ半島　鄧小平　フォークランド紛争　―

読解

現代史の「分岐点」となった冷戦終結？

今回の問題の主要求は、「1970年代後半から1980年代にかけての、東アジア、中東、中米・南米の政治状況の変化」について論ずることです。このテーマについて考えるべく、例によって、問題文の第1段落から見ていきましょう。

今回は、冷戦終結が「現代史の分岐点」とされることが少なくないという話から始まります。2度の大戦後から始まった現代史が、冷戦終結という1つの点を境にして、冷戦終結前（冷戦期）から後（ポスト冷戦期）へとその性格をガラッと変えたと捉えられることが多いというのです。

実際、冷戦終結は、それ自体非常に印象的な出来事とともに記憶されています。問題文で挙げられているマルタ会談とは、アメリカ大統領のブッシュ（父）と、ソ連書記長のゴルバチョフが事実上の冷戦終結を宣言した会談です。会談直前には、ベルリンの壁崩壊という一大事件も発生しています。さらにこの後には、アメリカとの冷戦を続けていたソ連が崩壊し、「歴史が変わった」というイメージはさらに強化されたことでしょう。

冷戦終結は「世界史全体の」転換点たりえたか?

しかし、今回の東大の問題は、こうした一般論を紹介しただけでは終わりません。「視点を変えてみると、冷戦終結の前後だけでは語れないことがあるよ」と続けています。

では、どのように視点を変えるのか。それが、「米ソ、欧州以外の地域」への注目です。アジアや中南米など、別の地域へと視点を移してみると、冷戦終結だけで歴史が変わった、「転換点」が訪れたとまでは言えないのではないか、というわけです。冷戦終結は、たしかにある一面では「分岐点」でも、「世界史全体の」転換点とまでは言えないだろうと考えていることになります。

次に考えるべきは、この頃世界各地で起きていたという「1990年代以降につながる変化」とは何かです。ここで、「1990年代以降」というもったいぶったような言い方をしているのは、1990年が「分岐点」、つまり1989年の冷戦終結を象徴する出来事の翌年であることに気づいてほしいというメッセージでしょう。

ここまで読めたら、主要求に戻りましょう。今回考えるべき「1970年代後半から1980年代にかけての、東アジア、中東、中米・南米の政治状況の変化」とは、ポスト冷戦期の世界につながるような変化のことだと分かりますね。これについて考えるためには、1990年代以降の世界がどのようなものなのか、そして「つながる変化」が起こった「新冷戦」とはどのような時代なのかを意識することが必要です。変化後の世界の姿や、変化最中の時代の特徴を捉えずして、変化について考えることはできませんからね。

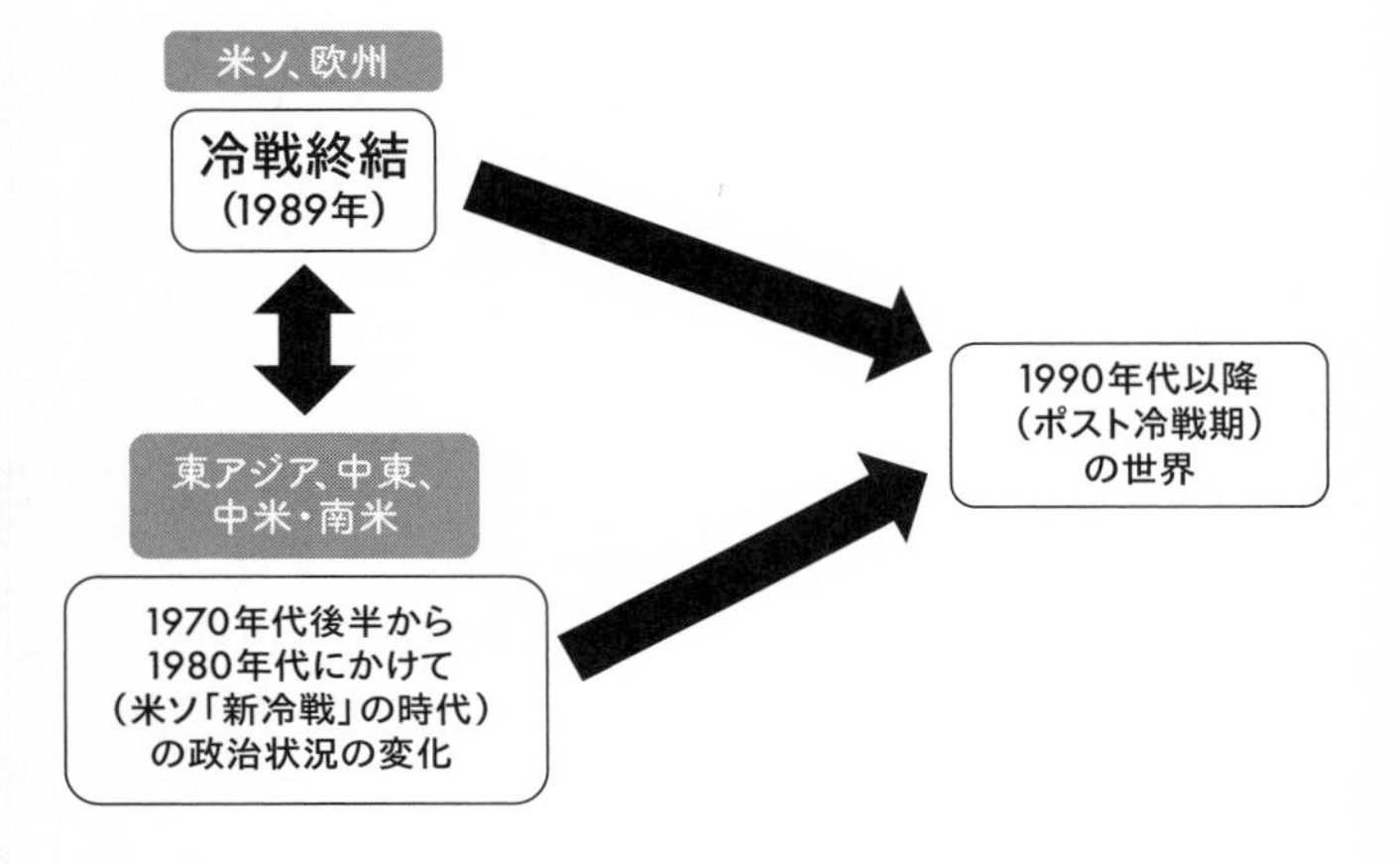

解説

「自由民主主義」と「宗教・民族対立」が鍵となるポスト冷戦期の世界

以上で問題文の確認が終わりましたから、ここからは解答の検討に入っていきます。まず、ポスト冷戦期、1990年代以降の世界がどのようなものなのか、どのような特徴を持っているのかについて考えてみましょう。講義編でも触れたとおり、ポスト冷戦期の世界には大きく2つの特徴がありました。

自由民主主義が政治体制の基調となった

1つ目の特徴は、世界各国で自由民主主義が採用されるようになったことです。自由民主主義とは、大まかに言えば、人々が平等に与えられた選挙権を自由に行使する選挙を通して政治を運営しようとする考え方や方式のことです。こうした自由民主主義が、世界各国で「目指すべき姿」とされるようになってきます。

現代を生きる私たちの多くも、今存在する国家の多くはこのような自由民主主義を採用していて、それがある種当たり前で理想的なことだという感覚を持っているはずです。自由民主主義にも限界があるだろうという話が注目されだしたのは、かなり最近になってからのことと言っていいでしょう。

では、なぜ自由民主主義が目指すべき姿として採用されるようになってきたのでしょうか？

もちろんこれを厳密に特定することはできませんが、いくつか考えられる要因がありま す。たとえば、自由民主主義以外の政治体制を採用した国家がポスト冷戦期までに衰退していったことが挙げられます。自由民主主義以外の体制として有名なのが共産主義・社会主義ですが、これを採用した代表的な国であるソ連は、1991年に崩壊しています。それに、崩壊前から指導者による独裁などが問題となっており、国内外での支持を失いつつあったと言っていいでしょう。一方、自由民主主義を採用した西側諸国は経済的に「成功」を収めました。こうした西側諸国が「自由民主主義が理想だ」として国際的に圧力をかけたこともあって、他の国も西側諸国に続こうという流れが出来上がったわけです（東京・総合p202）。

冷戦下で抑え込まれていた民族や宗教などをめぐる対立が顕在化した

もう1つの特徴が、宗教や民族などをめぐる対立が世界各地で顕在化したことです。しかし、宗教や民族などをめぐる対立は、冷戦の前から存在していてもおかしくはありませんよね。むしろ、長い歴史の中で醸成されてきた対立などは、世界大戦よりもずっと前から問題になっていたはずです。なぜポスト冷戦期のタイミングで改めて顕在化したのでしょうか？

この要因の1つとされているのが、冷戦による抑え込みが効かなくなったというものです。冷戦は、アメリカとソ連を中心とする、自由民主主義vs共産主義などの大きなイデオロギーをめぐる争いでした。このような世界規模の対立が起きている間は、各地の民族や宗教など、それに比べると「小さい」対立は、大きな流れの中に吸収されたり、抑え込まれたりしていました（東京・総合p200）。これが、冷戦というブレーキを失ったポスト冷戦期に、各地で表立って問題となっていったのです。

ポスト冷戦期の世界の特徴が分かったところで、この2つの特徴を準備した米ソ「新冷戦」の時代における変化、すなわち本問の解答そのものについて考えていきましょう。

民主化につながる動きが目立った中南米とアジア

世界各地の民主化につながる動きは、主に中南米と東アジアで見られました。両地域では、それぞれ自由民主主義ではない特徴的な政治体制を採用していた国があり、それを転換するための運動が盛んになったのです。

中南米の各国では、1980年代からある問題が深刻化するようになりました。それが「累積債務問題」です。これは、まだ経済力が十分でなく財産が貯まっていない発展途上国が、経済開発を進めるために先進国から借り入れていたお金（債務）の返済に困ってしまう問題です。

こうして借金に苦しむことになった各国では、「多額の借金を放置してきた政治が悪い」と、今ある政治を変えようとする運動が起こるようになります。当時、累積債務問題に悩んでいた国の多くでは、軍事独裁政権が権力を持っていました。こうした軍事独裁に対し、工業化などによって職を手にし、着実に力をつけつつあった中間層が対抗するようになったのです。結果、各国で軍事独裁政権が倒され、民主的な政治の導入が進みました。

その1つの代表例がアルゼンチンです。当時アルゼンチンを支配していた軍事政権は、イギリス領だった南大西洋上の島であるフォークランド諸島に侵攻しました。これにイギリスが対抗する形で発生したフォークランド紛争に負けた軍事政権は一気に支持を失い、戦争開始の翌年には倒されています。

経済成長・民主化を進めた東アジア諸国と「例外」

東アジアでも、「東アジアの奇跡」と呼ばれる経済成長に伴い、各国で民主化が相次ぎました。

その代表とされるのが、「アジアニーズ」と呼ばれる各国です。「ニーズ」とはNewly Industrializing Economies（新興工業経済地域）の略称で、1970年代以降急速な工業化と経済成長を達成した韓国、台湾、シンガポール、香港のことを指します。

この内、民主化を進めた国の典型例が韓国です。戦後しばらく政治的混乱が続いていた韓国では、軍隊の実力者である全斗煥という人物による軍事クーデターが起こり、一時軍部が政権を握るようになっていました。この軍事政権に対抗しようとした民衆が武力によって抑え込まれてしまったのが、光州事件です。しかし、全斗煥が不正に財産を蓄えていたことなどを厳しく批判されると、彼の政権は崩壊します。そして、90年代にようやく民主化を達成しました。

こうした動きは他の国でも見られましたが、「例外」もありました。それが、現在に至るまで民主国家とはいい難い体制を維持している中国です。中国では、民主化運動の契機こそありましたが、経済発展を目指しつつ政治体制の激変は避けようとした鄧小平を中心とする指導部によって抑え込まれてしまいます。武力による民主化運動弾圧の代表例が、1989年に北京で起きた天安門事件です。その後も厳しい統制が続いた結果、中国は今でも自由民主主義の導入には至っていません。

宗教・民族をめぐる「ほころび」が目立ちはじめた中東

一方、宗教や民族などをめぐる対立の萌芽は、中東で見られました。特に大きなきっかけとなったのが、イスラーム主義やイスラーム復興運動と呼ばれる動きの台頭です。西欧型の社会ではなく、イスラームの思想に根ざした社会を目指すこの動きは、他の民族・宗教との対立を呼び起こすことになりました。

代表的なのが、イラン革命によってイラン=イスラーム共和国が新たに成立したことです。近代化政策を強行しようとした王朝を、宗教指導家であるホメイニを中心とした勢力が打倒したイラン革命の発生は、周辺国を震撼させました。

こうした革命が自国に波及してくるのをおそれてイランと戦争を始めたのが、イラクで独裁的な権力を保持していた政治家、サダム＝フセインです。彼の率いるイラクは、イランの勢力拡大をよく思わなかったアメリカの支援を受けて軍事力を高め、イラン＝イラク戦争を長期にわたって続けました。ここでイラクが伸長してしまったことが、ポスト冷戦期に影を落とすことになります。

もう1つ忘れてはいけないのがパレスチナ問題です。現代まで尾を引いているパレスチナ問題の直接的な原因は、この時代にあると言っても過言ではありません。

1970年代の終わり頃、エジプトとイスラエルは、アメリカの仲介を受けて平和条約を締結し、パレスチナ問題は明るい方向へと舵を切ったかに思われました。しかし、イスラエルはこれ以降もシナイ半島以外の占領地を保持し続けてしまい、状況はあまり好転しなかったのです。それどころか、イスラーム主義の流れを受けた人々はこうしたイスラエルの動きに反発し、イスラエル占領下ではインティファーダ（民衆蜂起）という抗議運動が起こるようになりました。この運動の中から生まれたのがハマスというイスラーム主義的な組織です。この組織は、1990年代に入ってからも過激な抵抗を続け、中東問題は一層混乱することになっていきます。

そもそも「新冷戦」とはどんな時代だったか？

これで、答案はほぼ出来上がりました。従来必ずしも重視されてこなかったアジアや中南米などの地域に目を向けることで、この時代に起きた変化がポスト冷戦期の姿に大きな影響を与えているという、東大ならではの視点がご理解いただけたでしょう。

最後に、ここまで検討してきた「変化」が起きた時代である「新冷戦」という時代が何だったのか、簡単に確認します。

１９７０年代には、米ソが互いに歩み寄る緊張緩和状態が訪れました。こうした一時的平和が終わり、まさに「新たに」始まった対立を表す言葉が「新冷戦」です。この新たな緊張関係の契機となったのが、ソ連によるアフガニスタン侵攻でした。ソ連としては、当時支配下に置いていたアフガニスタンの隣国で起こったイラン革命の影響が及んで、共産主義的政権が維持できなくなっては困ります。そこでソ連はアフガニスタンに侵攻し、親ソ的な政権を維持しようと試みたのです。

このソ連の行動には世界中が震撼し、特に西側諸国からの大きな反発を招きました。その結果起こったのが、オリンピックのボイコットです。１９８０年のモスクワオリンピックは、アフガニスタン侵攻に抗議する多くの国によってボイコットされました。

一方のアメリカ側も、1983年、カリブ海に浮かぶ島国であるグレナダで拡大していたとされる左派政権を打ち倒すべく、グレナダ侵攻を行いました。これに抗議したソ連をはじめとする各国は、1984年に開催されたロサンゼルスオリンピックをボイコットしました（東京p366）。

こうした五輪ボイコットに象徴されるような東西対立が盛り上がったのが、「新冷戦」という時期だったのです。この時期に、冷戦の主戦場たる「米ソ、欧州」以外の地域に目を向けさせたのが、この問題だったのですね。

ここまでの内容をまとめれば、解答は完成です。

◎第10章のまとめ（解答例）

1990年以降の世界には、第一に、自由民主主義が政治体制の基調となり、第二に、宗教や民族上の対立等に根差す紛争が増加したという特徴がある。そして、これらにつながる変化がソ連のアフガニスタン侵攻、米国の**グレナダ**侵攻に際し、西側、東側諸国が五輪をボイコットした米ソ「新冷戦」の時代に世界各地で生じつつあった。第一の特徴につながる変化は中米・南米と東アジアで見られた。中米・南米では累積債務問題の深刻化等を背景に民政移管が進んだ。アルゼンチンでは**フォークランド紛争**敗北で軍政が崩壊し、民政に移行した。東アジアでも、**鄧小平**指導部が民主化運動を弾圧し、民主化が進まなかった中国等の例外はあったが、**アジアニーズ**の韓国、台湾、香港では経済成長による中間層の拡大等を背景に民主化が進んだ。韓国では**光州事件**で民主化運動が弾圧されたが、後に民主化が宣言された。第二の特徴につながる変化は中東で見られた。中東では冷戦期のイデオロギー対立に基づく紛争とは異なる、イスラーム主義運動の台頭をきっかけとする紛争が生じた。イランではイラン革命で**イラン＝イスラーム共和国**が成立したが、**サダム＝フセイン**政権率いるイラクやソ連が革命の波及を恐れ、イラン＝イラク戦争やアフガニスタン侵攻が起こった。また、パレスチナではイスラエルがエジプトとの平和条約締結以降も**シナイ半島**以外の占領地を保持し続け、それに対する民衆蜂起の中からハマスが生まれた。

〈参考文献〉

- **中西寛ほか『国際政治学（New Liberal Arts Selection）』**（有斐閣、2013）

大学の国際政治学の授業で用いられることの多い定番テキストです。第9章で紹介したものよりも分厚く、より「国際政治」にフォーカスして本格的に学習する際に適しています。本問は、まさに世界の政治状況について考える問題であり、このような教科書がよい参考になります。勘のいい方は、これまで参考文献として挙げてきた本のうちのいくつかが国際政治関連の書籍だとお気づきのはずです。実際、東大では政治関連の歴史について問われることがよくあります。もちろん、学習に際しては高校レベルの参考書でも十分なのですが、「思考法」を発展させていくためには、ぜひ今回紹介したような書籍にも手を伸ばしてみてください。

東大の良問10に学ぶ世界史の思考法

二〇二三年八月二一日　第一刷発行

著者　相生昌悟

発行者　太田克史
編集担当　片倉直弥
監修　西岡壱誠

発行所　株式会社星海社
〒一一二-〇〇一三
東京都文京区音羽一-一七-一四　音羽YKビル四階
電話　〇三-六九〇二-一七三〇
FAX　〇三-六九〇二-一七三一
https://www.seikaisha.co.jp

発売元　株式会社講談社
〒一一二-八〇〇一
東京都文京区音羽二-一二-二一
（販売）〇三-五三九五-五八一七
（業務）〇三-五三九五-三六一五

印刷所　凸版印刷株式会社
製本所　株式会社国宝社

アートディレクター　吉岡秀典（セプテンバーカウボーイ）
デザイナー　五十嵐ユミ
フォントディレクター　紺野慎一
図版　ジェオ
校閲　鷗来堂

ISBN978-4-06-532901-6
Printed in Japan

270
SEIKAISHA SHINSHO

次世代による次世代のための

武器としての教養
星海社新書

星海社新書は、困難な時代にあっても前向きに自分の人生を切り開いていこうとする次世代の人間に向けて、ここに創刊いたします。本の力を思いきり信じて、**みなさんと一緒に新しい時代の新しい価値観を創っていきたい。若い力で、世界を変えていきたいのです。**

本には、その力があります。読者であるあなたが、そこから何かを読み取り、それを自らの血肉にすることができれば、一冊の本の存在によって、あなたの人生は一瞬にして変わってしまうでしょう。**思考が変われば行動が変わり、行動が変われば生き方が変わります。**著者をはじめ、本作りに関わる多くの人の想いがそのまま形となった、文化的遺伝子としての本には、大げさではなく、それだけの力が宿っていると思うのです。

沈下していく地盤の上で、他のみんなと一緒に身動きが取れないまま、大きな穴へと落ちていくのか？　それとも、重力に逆らって立ち上がり、前を向いて最前線で戦っていくことを選ぶのか？

星海社新書の目的は、**戦うことを選んだ次世代の仲間たちに「武器としての教養」をくばることです。**知的好奇心を満たすだけでなく、自らの力で未来を切り開いていくための〝武器〟としても使える知のかたちを、シリーズとしてまとめていきたいと思います。

2011年9月

星海社新書初代編集長　柿内芳文